L'EMPIRE DE LA PEUR

DU MÊME AUTEUR

Djihad versus McWorld : mondialisation et intégrisme contre la démocratie, Desclée de Brouwer, 1996 ; Hachette Littératures, 2001.

Benjamin R. Barber

L'empire de la peur

Terrorisme, guerre, démocratie

Traduit de l'anglais (États-Unis)
par Marie-France de Paloméra

Fayard

TITRE ORIGINAL :
Fear's Empire.
War, Terrorism, and Democracy
Édité par W.W. Norton, New York, Londres.

À Willson Barber,
fils, ami, artiste, citoyen.

Jamais, jamais, jamais on ne doit croire qu'une guerre sera simple et facile ou que quiconque s'embarque dans cette étrange aventure peut mesurer à l'avance les vents et les tempêtes qu'il rencontrera sur son chemin. L'homme d'État qui cède à la fièvre de la guerre doit savoir qu'une fois le signal donné, il cesse d'être le maître de la politique à suivre pour devenir l'esclave d'événements imprévisibles et incontrôlables.

Winston CHURCHILL, *Mes jeunes années*.

Malheur à ceux qui se croient des sages et s'estiment très malins ! [...]

Moi aussi je prendrai plaisir à les maltraiter, j'amènerai sur eux ce qu'ils redoutent.

ISAÏE, 5,21 ; 66,4.

Remerciements

Ce livre est l'œuvre de toute une vie – et il a été écrit dans l'urgence. Je me suis intéressé à la politique nationale de sécurité pendant mes études universitaires de deuxième cycle, au début des années 1960, et je n'ai jamais cessé de me former aux affaires internationales pendant ma carrière de politologue ; une grande partie de ce long apprentissage se retrouve dans ces pages. Mais le déploiement de la nouvelle stratégie de guerre préventive après le 11 Septembre, qui a conduit à la guerre en Afghanistan et en Irak, et la perspective de mesures préventives de la part d'une administration américaine peut-être décidée à de nouvelles opérations « choc et stupeur » en Iran, en Corée du Nord ou dans d'autres régimes hostiles dans un futur proche, m'ont incité à l'automne 2002 à écrire ce livre, toutes affaires cessantes. Compte tenu des délais extrêmement courts dont je disposais, je ne saurais trop remercier pour son concours mon assistant de recherche personnel, Josh Karant, dont les investigations attentives en bibliothèque et sur Internet m'ont fourni des précisions factuelles, historiques et bibliographiques de toute première importance. J'ai aussi bénéficié de la justesse de ses analyses sur le fond. Le travail incomparable de mon assistante exécutive, Katie Roman, et de membres clés de l'effectif de Democracy Collaborative – surtout Jill Samuels, Sondra Myers et Michele Demers – m'a également aidé.

J'éprouve un immense plaisir à avoir mis un point final à cet ouvrage en qualité de directeur du nouveau Democracy Collaborative et parmi mes nouveaux collègues à l'université du Maryland. Comme pour mon précédent livre publié chez W.W. Norton, mon travail doit beaucoup à la compétence incisive et à la sûreté de jugement de mon éditrice, Alane Mason, et au crayon bleu autoritaire de Don Rifkin, secrétaire d'édition.

Un mot encore : ce livre est l'expression écrite de l'engagement politique envers le droit international et la démocratie mondiale incarné par CivWorld, la campagne citoyenne pour la démocratie dans le monde (www.civworld.org), à laquelle j'ai le privilège de participer. Le livre et la campagne expriment tous deux mon espoir que l'Amérique renoncera à sa vaine tentative de répondre à la peur par la peur.

Le sentiment qui m'anime rejoint celui de Katherine Lee Bates qui composa les paroles d'*America the Beautiful*, et écrivit dans son poème *England to America* cette strophe prophétique :

> And what of thee, O Lincoln's Land ? What gloom
> Is darkening above the Sunset Sea ?
> Vowed Champion of Liberty, deplume
> Thy war-crest, bow thy knee,
> Before God answer thee*.

* Et toi, ô patrie de Lincoln ? Quelle ombre / obscurcit le ciel au-dessus de la mer du couchant ? / Éternel défenseur de la liberté, abandonne / ta coiffure de guerre, pose genou à terre, / avant que Dieu ne te réponde. *(NdT)*

Introduction

Mieux vaut être craint qu'aimé.
MACHIAVEL, *Le Prince.*

Les États-Unis, longtemps chéris par la destinée, se heurtent aujourd'hui de plein fouet à l'histoire. Isolée de l'Ancien Monde par deux siècles d'indépendance quasi mythique, mais abasourdie par la prise de conscience soudaine de sa vulnérabilité, l'Amérique ne parvient pas à déchiffrer le message d'interdépendance obligatoire qui définit le nouveau monde du XXIe siècle.

Des terroristes par ailleurs dénués de pouvoir ont investi l'imagination américaine, semant dans ses recoins les plus secrets des anxiétés aggravées par les codes de niveaux d'alerte en technicolor. Or, par son attitude à l'égard du terrorisme, l'Amérique a suscité cette peur même qui est la première arme du terrorisme. Ses dirigeants s'emploient avec une folle inconséquence à mettre en place un empire de la peur américain plus effrayant que tout ce que les terroristes pourraient imaginer. Promettant de désarmer tous ses adversaires sans exception, de déployer « la mère de toutes les bombes » et d'abattre le tabou interdisant l'utilisation tactique d'armes nucléaires, se jurant de plonger ennemis et alliés confondus dans le choc et la stupeur pour les réduire à la soumission dans le monde entier, le phare de la démocratie que le monde admirait tant est devenu du jour au lendemain l'artisan de guerre le plus redouté de la planète[1].

Tant mieux, penseront certains. Le problème pour l'Amérique, et le monde aussi, n'est pas seulement de savoir si elle peut déployer de nouvelles stratégies de guerre préventive tout en restant fidèle aux valeurs démocratiques qui la définissent, et donc conserver des rapports affectueux avec ses voisins du globe, mais si ces stratégies sont réellement capables de la mettre à l'abri du terrorisme. Aucune nation ne sacrifiera jamais sa sécurité sur l'autel d'aspirations plus hautes. Mieux vaut être craint qu'aimé, enseignait Machiavel au Prince. L'Amérique aura peut-être tiré du 11 Septembre le même enseignement. Mais la peur est-elle sa meilleure alliée ? L'Afghanistan et l'Irak doivent-ils devenir les repères d'une stratégie mondiale de sécurité par voie d'intimidation ?

Pas dans une ère d'interdépendance. Pas quand faire cavalier seul est une invite à l'échec. Pas quand le terrorisme a mis à nu la fragilité de la souveraineté et le caractère caduc des fières déclarations d'indépendance. S'il nous livre une leçon sur la puissance de la peur, le 11 Septembre nous révèle aussi les insuffisances de la force militaire. Si la techno-*Blitzkrieg* en Irak nous livre une leçon sur l'autorité persistante de la puissance

1. La « mère de toutes les bombes » (*alias* Massive Ordnance Air Blast, ou MOAB) est la nouvelle bombe « conventionnelle » de 21 000 tonnes du département de la Défense ; le Pentagone du président Bush a laissé entendre qu'on pourrait envisager dans certaines circonstances un « premier recours » aux armes nucléaires tactiques. Voir, par exemple, le dossier de *Newsweek*, « Why America scares the world », 24 mars 2003.

militaire, elle nous révèle aussi ses limites comme instrument de démocratisation. Or, en répondant à un terrorisme qui ignore les frontières nationales, les États-Unis se sont tournés vers des stratégies de plus en plus obsolètes, liées à une souveraineté traditionnelle qu'ils ne détiennent plus. Recherchant un monde plus sûr, ils ont systématiquement déstabilisé la sécurité collective. Dans sa réaction face à l'anarchie mondiale, la nation a hésité entre en appeler aux lois ou leur porter atteinte, entre recourir aux institutions internationales ou les défier. Elle s'est réclamée du droit à l'action unilatérale, à une guerre préventive et à un changement de régime qui sape la structure internationale de coopération et de droit dont elle fut naguère l'architecte en chef – alors que cette structure peut, à elle seule, vaincre l'anarchie terroriste. La guerre du président Bush contre le terrorisme peut être juste ou non, épouser les valeurs américaines ou non, mais, de la manière dont elle a été conduite, elle est incapable de vaincre le terrorisme et elle n'y parviendra pas.

Du fléau du sida au réchauffement climatique, des monopoles mondiaux des médias aux syndicats du crime organisé international, tous les traits du monde interdépendant qu'on voit se dessiner exigent que l'Amérique ouvre les yeux sur l'extérieur ; au lieu de quoi elle tourne un regard hésitant vers l'intérieur, ne s'intéressant au monde étranger que pour fixer d'un œil torve des cibles « ennemies » définies par une guerre contre un terrorisme insaisissable, et contre des « États voyous » chimériques destinés à servir de doublures à des terroristes trop difficiles à localiser et à détruire. « Modèle » d'une société démocratique, l'Amérique réagit souvent avec un mépris ploutocratique aux exigences d'égalité planétaire, dénonçant un « axe du mal » nébuleux sans tenir compte d'un axe de l'inégalité flagrant. Elle a résolu d'appliquer une stratégie nationale de sécurité dans un contexte qui en réclame impérativement une autre, que j'appelle la « démocratie préventive ». Nation multiculturelle emblématique, elle manifeste peu de patience envers la diversité culturelle ou l'hétérogénéité religieuse, en particulier lorsqu'elles semblent menacer les idéaux américains ou déborder le champ de l'imagination américaine. Elle croit que, même si elle appuie la dictature dans des pays qu'elle tient pour amis, elle peut imposer la démocratie à la pointe du fusil à des ennemis à terre. Elle croit que des marchés privatisés et un consumérisme agressif, affranchis des contraintes démocratiques, sont les instruments qui forgeront la démocratie ; elle est convaincue que les autres nations peuvent instaurer la démocratie du jour au lendemain en important des institutions américaines qu'il a fallu des siècles pour former et développer aux États-Unis. La politique étrangère de guerre et de paix que mène aujourd'hui l'Amérique pour abattre la tyrannie et fonder la démocratie repose sur une compréhension défectueuse des conséquences de l'interdépendance et de la nature même de la démocratie. Et c'est ainsi que l'empire de la peur engendre l'emprise de la peur, hostile tant à la liberté qu'à la sécurité.

Le militantisme américain est exprimé, voire exacerbé, par la ferveur missionnaire avec laquelle le président Bush poursuit sa guerre contre la terreur : une sorte de bonne conscience vertueuse de cow-boy sorti du *Train sifflera trois fois*, que même des amis de la

Maison-Blanche ont associée à sa tendance à être « peu patient et soupe au lait ; parfois spécieux, même dogmatique ; souvent peu curieux, donc mal informé[1] ». Mais la réponse américaine au terrorisme ne se réduit pas à un coup de sang présidentiel. Les Américains choisissent en général, pour les représenter, un commandant en chef qui exprime leurs propres inquiétudes et aspirations à un moment donné de l'histoire. Les deux partis de la nation et les élites de l'opinion ont soutenu l'idée que la peur ne peut être contrée que par la peur instillée. Tandis que le monde tremble, les Américains fiévreux dissipent leurs sueurs froides en applaudissant à tout rompre à un américanisme militant aux cris de « USA ! USA ! ».

La notion d'outre-Amérique ne s'était jamais arrêtée à l'outre-mer. Alors qu'aujourd'hui on se masse sur leur seuil, les Américains se regroupent avec inquiétude au salon, espérant assurer leur sécurité en verrouillant les portes et en catapultant leurs redoutables armes intelligentes avec des lanceurs sécurisés. Redoutant l'altérité du monde, et curieusement oublieux du fait qu'eux-mêmes l'incarnent dans leur propre diversité, ils aspirent à soumettre les secteurs hostiles de la planète par un militantisme opiniâtre. Amis et alliés leur emboîtent le

1. On doit ce portrait à David Frum, ancien rédacteur des discours de Bush, à qui revient en partie la paternité de l'« axe du mal » (il avait trouvé l'« axe de la haine », qui devint un « axe du mal » sans doute mieux fait pour le moralisme évangélique du président Bush). D'après Frum, les vertus de Bush – « correction, honnêteté, droiture, courage et persévérance » – compensent les vices cités ci-dessus. Voir David Frum, *The Right Man : The Surprise Presidency of George W. Bush*, New York, Random House, 2003, p. 272.

pas à contrecœur, car il est hors de question de nier la puissance de l'Amérique, quand bien même les réalités de l'interdépendance font douter de sa victoire.

Le monde de l'Amérique est ainsi devenu un lieu beaucoup plus dangereux et plus déconcertant que jamais auparavant pour les Américains : un monde nouveau et énigmatique fait de doutes et de périls, un monde en théorie voué à la démocratie qu'ils croient incarner, mais un monde qui ne se montre plus toujours prêt à croire, lui, à cette allégation. Conscients du déficit de confiance dont ils souffrent auprès de ce monde et se sentant trop peu aimés de lui, les Américains y interviendront peut-être plus, mais en s'en méfiant davantage et en l'aimant moins. Les mythes utiles (vérités en d'autres temps) en vertu desquels les coûteuses guerres « chaudes » et froides du siècle dernier furent menées avec courage et remportées de manière décisive – l'autonomie américaine, la vertu américaine, la démocratie américaine, l'innocence américaine – se voient réaffirmés avec une ardeur patriotique sur le sol américain, alors même qu'on en dénonce à l'étranger le peu de substance et l'hypocrisie. Le monde de l'Amérique n'est plus le monde de l'Amérique. Il menace de devenir une colonie consentante en même temps que la capitale de l'empire de plus en plus tentaculaire de la peur.

L'hégémonie américaine ne se trouve pas remise en question. Après tout, « la puissance militaire, économique et politique des États-Unis donne au reste du monde des dimensions lilliputiennes[1] ». Ils sont, nous rappelle

1. Tim Wiener, « Mexico's influence in Security Council decision may help its ties with US », *New York Times*, 9 novembre 2002, p. A11.

Michael Ignatieff, « la seule nation qui assure l'ordre sur la planète au moyen de cinq commandements militaires mondiaux ; maintient plus d'un million d'hommes et de femmes en armes sur quatre continents ; déploie des effectifs de combat en veille sur des porte-avions à travers tous les océans ; garantit la survie de pays allant d'Israël à la Corée du Sud ; fait tourner les échanges et le commerce du monde ; instille ses rêves et ses aspirations dans les cœurs et les esprits de la planète entière[1] ». Walter Russell Mead place la barre encore plus haut : « Les États-Unis, écrit-il avec admiration, ne sont pas la seule et unique puissance mondiale : leurs valeurs inspirent un consensus mondial, et ils régissent comme jamais encore la formation de la première civilisation réellement mondiale que notre planète ait connue[2]. »

Avec un budget militaire (de 350 milliards de dollars, et en hausse, sans tenir compte des dépenses liées à la guerre en Irak) supérieur à celui des quinze plus gros consommateurs de défense réunis et déployant des armements de haute technologie qu'aucun pays ne peut égaler, l'Amérique a la capacité d'écraser presque à son gré les nations qu'elle juge être ses ennemies. Ici abattant un terroriste pris au hasard avec un missile tiré d'un Predator sans pilote dans un désert anonyme, là renversant un régime hostile par intimidation militaire, prêts à mener une guerre « préventive » presque partout dans le monde bien avant qu'un acte d'agression caractérisé soit commis contre eux, les États-Unis représentent un

1. Michael Ignatieff, « The burden », *New York Times Magazine*, 5 janvier 2002, p. 22.

2. Walter Russell Mead, *Special Providence : American Foreign Policy and How It Changed the World*, New York, Alfred A. Knopf, 2002, p. 10.

redoutable adversaire. Après avoir contribué à la chute de l'Union soviétique en l'épuisant par une course aux armements, puis utilisé ses propres armes pour anéantir l'arsenal conventionnel de l'Afghanistan et de l'Irak dans des guerres si disproportionnées qu'elles méritent à peine ce nom, ils se savent sans égaux sur le plan militaire en matière de production, de déploiement et d'usage d'armements, parmi lesquels figurent les terrifiantes armes de destruction massive qu'ils interdisent à leurs ennemis potentiels de développer. Comment s'étonner que le président Bush pense que, si nécessaire, les Américains vaincront même s'il « ne reste qu'eux » : une coalition résolue forte d'un seul élément ?

Or leur puissance affaiblit les États-Unis alors même qu'elle les rend forts, faisant d'eux les mal-aimés de ceux qu'ils « sauvent » (la Corée du Sud ne leur a guère montré plus d'affection récemment que son ennemie du Nord), éveillant la rancœur de leurs alliés (les élections allemandes de 2002 ont été remportées « à l'arraché » par un candidat qui a refusé catégoriquement de soutenir la politique de l'Amérique en Irak), et suscitant encore plus de mépris que de peur chez ceux qu'ils aspirent à conquérir (une Corée du Nord belliqueuse, un Irak ambivalent et parfois récalcitrant qui n'a pas accueilli ses envahisseurs américains avec la ferveur qu'on attendait de lui). Dans leur puissance sans précédent réside une vulnérabilité elle aussi inconnue jusqu'à ce jour : il leur faut en effet étendre encore et toujours le champ de leur puissance pour préserver celle qu'ils détiennent déjà, et qui est donc, presque par définition, toujours expansionniste. « Pour garantir mon pré carré, observait le gros propriétaire terrien, tout ce qu'il me faut, c'est le champ mitoyen au mien. » Les États-Unis sont tenus de compter au nombre de leurs amis tous ceux qui se défendent d'être leurs ennemis, à telle enseigne que leurs alliés se révèlent plus souvent les ennemis de leurs ennemis que leurs vrais amis. S'opposer aux États-Unis équivaut à faire partie sinon de l'axe du mal, du moins des méchants ; les soutenir vous range dans la catégorie des bons, même si votre régime est autoritaire, voire tyrannique, comme dans le cas de ces amis et alliés proches de l'Amérique que sont l'Égypte, l'Arabie Saoudite, le Pakistan ou le Zimbabwe. Étonnez-vous alors que les États-Unis fassent une fixation sur des États voyous de seconde division comme la Libye, la Somalie, Cuba et l'Irak, dont la menace qu'ils font peser sur les intérêts américains, même amplifiée par l'interdépendance, reste minime. Les États-Unis ont les moyens de déployer des forces de combat sur la planète entière et de mener plusieurs guerres de front, mais sont incapables de protéger leur propre quartier général au Pentagone ou la cathédrale du capitalisme à Manhattan parce que l'interdépendance permet aux faibles d'exploiter la technique du jiu-jitsu pour les amener au tapis. La peur est la seule arme du terrorisme, mais elle est bien plus puissante contre ceux qui vivent dans l'espoir et la prospérité que contre ceux qui croupissent dans la désespérance et n'ont rien à perdre.

Qui plus est, la fameuse puissance militaire de l'Amérique affecte peu les agents presque invisibles et très mobiles qui contrôlent le terrorisme : ce ne sont pas des États-nations, et ils peuvent disparaître et refaire surface en de multiples endroits. Les États-Unis sont capables d'abattre des nations entières, mais les cellules terroristes et leurs chefs à l'image perpétuellement changeante restent debout. Ils savent que la peur est leur alliée ; pour reprendre les termes d'Anwar Aziz, un des premiers auteurs d'attentats suicides à Gaza en 1993, « les batailles pour l'islam ne se gagnent pas au fusil, mais en portant la peur dans le cœur de l'ennemi[1] ». Et quand bien même ils craindraient la mort, qu'auraient les terroristes à redouter d'armées qui ne parviennent pas à mettre la main sur eux ? Donald Rumsfeld, le plus fervent adepte de la guerre préventive que l'Amérique ait jamais produit, s'inquiète du caractère insaisissable des cellules terroristes. « Les gens qui font cela n'ont rien à perdre, n'ont pas de cibles majeures, reconnaît-il. Ils ont des réseaux et le fanatisme[2]. » Pourquoi alors, pourrait-on demander, devons-nous croire qu'une stratégie de guerre préventive contre un État peut vraiment agir contre le terrorisme, même si elle « marche » pour sanctionner ou modifier des régimes hostiles ?

Alors que l'Amérique tente de se protéger du terrorisme (une forme de la nouvelle anarchie mondiale) en exerçant une domination souveraine, l'économie de marché interna-

---

1. Cité par Avisahi Margalit dans son essai très instructif, « The suicide bombers », *New York Review of Books*, 16 janvier 2003.

2. Cité par Bob Woodward, *Bush at War*, New York, Simon & Schuster, 2002 ; en français : *Bush s'en va-t-en guerre*, trad. Corinne Julve, Annick Le Goyat et Élisabeth Motsch, Paris, Denoël, 2003, p. 89. La méthode de Woodward étant encore plus mystérieuse que contestable (rien ne permet de vérifier qui dit quoi, ni beaucoup de ses citations en style direct), je laisse au lecteur le soin d'en déterminer la véracité. Prises en bloc, ces citations me paraissent acceptables du fait de leur effet cumulatif, quand bien même je ne leur accorde aucune confiance prises séparément. Beaucoup de celles que je rapporte ici proviennent de discours rendus publics ou prononcés en public, mais d'autres reposent sur la foi du lecteur. Pour de bonnes raisons de ne pas faire confiance à Woodward, voir les recensions (émanant de différentes positions politiques) d'Eric Alterman, « War and leaks », *American Prospect*, 30 décembre 2002, et d'Edward N. Luttwak, « Gossip from the war room », *Los Angeles Times Book Review*, 1er décembre 2002.

tionale (autre forme de la nouvelle anarchie mondiale) érode la notion même de souveraineté. Bien qu'ils aient créé le monde à leur image, les États-Unis sont impérativement tenus de maîtriser leur propre économie, car l'interdépendance permet aux capitaux, aux emplois et aux investissements de se déplacer à leur gré – sans souci de la souveraineté américaine. L'Amérique peut propager une civilisation culturelle populaire de films, musique, logiciels, *fast food* et technologie de l'information de par le monde jusqu'à ce que le monde renaisse en McWorld, mais elle ne contrôlera pas le retour de manivelle qu'est Djihad ; l'interdépendance donne en effet à Djihad des moyens pour se dresser contre McWorld (le terrorisme mondial !) tout aussi impressionnants que ceux dont dispose McWorld pour l'affronter (les marchés mondiaux !). Il s'agit en réalité des mêmes moyens, car ils se fondent sur l'anarchie mondiale qu'ils favorisent[1].

Il existe de nombreux points de pression où l'hégémonie américaine et l'interdépendance mondiale entrent en collision. À savoir : les inégalités perturbatrices de la fracture Nord-Sud, la commercialisation anarchique de l'économie mondiale et l'homogénéisation invasive des cultures résultant de l'expansion de McWorld. Mais aucun point de collision n'a été plus spectaculaire ni plus dangereux que celui mis en évidence par l'évolution de la doctrine stratégique américaine.

Les succès du terrorisme posent en termes brutaux des questions franches à l'Amérique et au monde. Les États-Unis

1. Voir mon *Jihad vs. McWorld,* Random House, éd. révisée, 2001 ; en français : *Djihad versus McWorld : mondialisation et intégrisme contre la démocratie*, trad. Michel Valois, Paris, Desclée de Brouwer, 1996.

peuvent-ils vraiment porter remède aux pathologies de l'interdépendance mondiale dont ils sont en partie responsables, et qui a entamé la souveraineté sur laquelle ils s'appuient, en déployant les stratégies traditionnelles de l'État souverain – et, surtout, leur puissance militaire outrecuidante sous la forme prétendument novatrice de la guerre préventive ? Les vieux régimes nés aux XVIIIe et XIXe siècles peuvent-ils lutter contre la malveillance généralisée dont ils ont involontairement favorisé l'apparition – sans créer d'abord des formes bienveillantes d'interdépendance qui substituent au désordre mondial un ordre garanti par le droit ? La gouvernance internationale peut-elle naître des processus anarchiques des marchés et de la guerre ? La peur peut-elle vaincre la peur ? La politique d'États-nations (Amérique *vs* Irak, Corée du Sud *vs* Corée du Nord, Palestine *vs* Israël) peut-elle tenir tête à un monde de plus en plus composé de toute une diversité d'acteurs non étatiques (Al-Qaida, Shell, Greenpeace, l'OPEP, Bertelsmann, le Hezbollah) ?

Son pays ayant été attaqué par ce qui était, de fait, une organisation non gouvernementale terroriste (Al-Qaida), le président Bush a voulu frapper « les États qui accueillaient le terrorisme ». D'où l'adoption d'une stratégie dirigée contre l'Afghanistan, puis l'Irak (et peut-être, le moment venu, la Corée du Nord, la Syrie et l'Iran), alors même que les terroristes se déplaçaient librement de l'Afghanistan au Yémen et au Soudan, des provinces montagneuses turbulentes et ingouvernables de l'Afghanistan aux provinces turbulentes et ingouvernables du Pakistan et du Proche-Orient à l'Afrique et à l'Asie du Sud-Est, à l'Indonésie et aux Philippines. En réalité, et de manière assez paradoxale, tandis que l'Amérique et l'Europe exportaient leurs forces pour lutter contre le terrorisme dans le tiers monde, les terroristes du tiers monde ont continué à vivre leur vie en Grande-Bretagne et en Allemagne, ainsi qu'en Nouvelle-

Angleterre, dans le New Jersey et en Floride. Ces États aussi doivent être comptés (bien que ce n'ait manifestement pas été le cas) au nombre de ceux qui accueillent des terroristes et auxquels le président Bush entendait étendre sa vengeance impitoyable. (À ce jour, le New Jersey et la Floride ne figurent pas sur sa liste noire – encore que les empiétements de la Protection du territoire national et du *Patriot Act* sur les libertés civiques aux États-Unis mêmes les y aient, à en croire certains, bel et bien placés.)

Or le terrorisme, alors qu'il apparaît comme un déploiement impressionnant de pouvoir brutal, incarne en réalité une stratégie de peur et non d'assurance, de faiblesse et non de force. Donald Rumsfeld cite volontiers une remarque d'Al Capone – « on obtient plus avec un mot gentil et un flingue qu'avec un mot gentil et rien » –, mais ce faisant il joue le jeu du terroriste sur le terrain des terroristes. Parce que la peur est la seule arme du terrorisme, parce que le travail essentiel du terroriste (comme celui d'un agent infectieux) se borne à déclencher la contagion. Le système immunitaire du corps contaminé fait le reste, tandis que l'organisme tente de neutraliser l'infection en faisant la guerre à ses propres organes touchés. C'est ainsi que le gouvernement américain fut obligé de fermer le ciel à son aviation commerciale pendant plusieurs jours et de lui imposer un carcan de mesures de sécurité invalidantes et plus ou moins permanentes en réponse aux détournements du 11 Septembre[1]. L'industrie de l'aviation est restée en état de choc depuis. Les

1. Le président Bush le comprit instinctivement et tenta de rétablir les vols commerciaux le 11 septembre : « Nous refusons d'être pris en otages, dit-il, nous volerons à midi demain » (Woodward, *Bush s'en va-t-en guerre, op. cit.*, p. 27). Trois jours s'écoulèrent en réalité avant que ces vols ne reprennent, l'Administration fédérale de l'aviation ayant involontairement fait le travail des terroristes à leur place.

pirates fermèrent la Bourse en détruisant les installations du World Trade Center, mais aussi en inspirant la peur – une sorte de réaction immunitaire des organismes spéculatifs aux agressions, s'infligeant à eux-mêmes des dégâts avec plus d'efficacité qu'Al-Qaida ne l'aurait jamais rêvé. Avant le déclenchement de la guerre en Irak, le gouvernement interdit l'accès aux voies piétonnes devant la Maison-Blanche et, avec un sens involontaire de l'ironie, mura Liberty Bell*.

Le jiu-jitsu stratégique du terrorisme ne peut vaincre l'adversaire qu'en l'obligeant à perdre, en l'amenant au tapis par la force de son propre élan. L'intelligence diabolique à l'œuvre dans l'attaque du World Trade Center et du Pentagone apparut pleinement dans l'utilisation rudimentaire, mais d'une invention démoniaque, d'avions de ligne comme bombes de feu létales actionnées par des individus seulement armés de cutters. Elle est encore plus visible un an ou deux après dans le regard anxieux que portent les Américains sur les signaux codés en couleur de leur propre gouvernement annonçant les niveaux de risque actuels pour savoir dans quelle mesure ils sont censés se sentir en sécurité – éprouvant, précisément, un profond sentiment de vulnérabilité parce que ce code leur révèle l'intensité de leur peur. C'est à se demander si un terroriste aurait pu propager la peur avec plus d'efficacité que ne l'a fait par inadvertance le gouvernement américain l'an dernier en se faisant un devoir d'exposer des menaces aléatoires contre des cibles non spécifiées et en prévenant que de nouvelles agressions ne manqueraient pas de se produire. Quand l'alerte passa de nouveau au

* Symbole de la liberté pour les militants antiesclavagistes, le bourdon avait sonné la fin de la guerre d'Indépendance à Philadelphie. *(NdT)*

niveau « élevé » au printemps 2003 après les attentats terroristes à Riyad et à Casablanca (malgré la « victoire » contre le terrorisme qu'aurait représentée la chute de Saddam Hussein), un « haut responsable américain connaissant bien le dossier » fit savoir que le « bavardage » du renseignement et les messages interceptés comportaient des « éléments à vous donner raisonnablement la chair de poule » – Halloween en mai[1].

Le terrorisme peut inciter un pays à se faire peur au point de se plonger lui-même dans une sorte de paralysie. Il désarme les puissants en suscitant une anxiété qui les prive de leurs moyens. Il transforme les citoyens en spectateurs nerveux. Rien n'induit plus la peur que l'inaction. Prenez, par exemple, la grande peur de l'anthrax qui s'empara des États-Unis quelques semaines après le 11 Septembre. L'anthrax en soi, même s'il coûta le prix inestimable de cinq vies, n'opéra que des dégâts systémiques minimes. Sans doute faut-il y voir la main d'un laborantin américain de mauvais poil, et non celle d'un terroriste étranger. Mais parce qu'elle mettait en cause le service postal universel, la menace engendra une peur d'une ampleur nationale qui eut des effets dévastateurs sur le sentiment collectif de sécurité du pays.

Les dénominations peuvent contribuer à instiller la peur. Il se glisse quelque chose d'insaisissable et de perturbant dans l'expression « armes de destruction massive » (ADM), car cette qualification passe aisément de la connotation de dévastation assurée et largement reconnue qui s'attache aux armes nucléaires aux effets infiniment moins prévisibles des armes biologiques et chimiques. L'attentat au sarin, en 1995, perpétré par la secte terroriste japonaise

1. Cité par Jeanne Meserve, « Cities respond differently to terror alert », CNN.com, 21 mai 2003.

Aum Shinrikyo dans le métro de Tokyo constitua, techniquement parlant, une agression à l'arme chimique, donc un épisode à classer sous la rubrique « armes de destruction massive ». Si des milliers de personnes furent touchées, il ne fit que douze victimes, et les commentateurs ont noté depuis que cet attentat prouvait la difficulté d'utiliser des armes chimiques, même dans des espaces clos comme le métro. Les alertes à l'anthrax aux États-Unis, visant des bureaux de poste, des studios d'enregistrement et des bureaux de l'administration, furent des attaques biologiques – des exemples de dégâts occasionnés par des « armes de destruction massive ». Mais si elles inspirèrent à l'évidence une peur généralisée (due en partie à la présentation qu'en firent le gouvernement et les médias complaisants), les pertes réelles furent minimes. Est-il bien utile de voir dans ces épisodes des exemples du déploiement d'armes de destruction massive (requalifiées récemment « armes de terreur massive » par le secrétaire-adjoint à la Défense, Paul Wolfowitz) ? Il est certain que les armes « conventionnelles », parmi lesquelles le napalm, les bombes à fragmentation et les mines antipersonnel, ont fait infiniment plus de victimes civiles au cours de conflits antérieurs (notons que les États-Unis ne sont même pas signataires du traité international d'interdiction des mines antipersonnel[1]).

1. Les réticences de l'Amérique peuvent se comprendre, car elle déploie plus de troupes dans le monde qu'aucune autre nation et utilise les mines antipersonnel pour protéger à faible coût des garnisons surpassées en nombre ; en outre, elle a la réputation de retirer ses mines en repartant. Mais il s'agit de souligner ici que les armes d'usage courant, beaucoup plus meurtrières que n'importe quelle arme chimique ou biologique, n'entrent pas dans la catégorie des « armes de destruction massive », à la différence d'autres armes ayant entraîné moins de dommages dans les conflits historiques – sans doute parce qu'elles contribuent à plaider le dossier américain de guerre préventive.

La nouvelle dénomination « armes de destruction massive » viserait-elle moins à créer une nouvelle classification militaire rationnelle qu'à renforcer une laborieuse logique de guerre préventive capable de s'appliquer non plus aux organisations terroristes, mais à des États souverains – États encore dépourvus des armes nucléaires qui pourraient justifier une mise hors d'état de nuire préventive ? (À condition que la présence éventuelle de telles armes, comme en Corée du Nord[1], ne rende pas ce coup d'arrêt par trop coûteux[2].) Henry Sokolski, directeur exécutif du Nonproliferation Policy Education Center (Centre d'éducation à une politique de non-prolifération) à Washington, a fait observer que la Syrie, l'Égypte, la Turquie et l'Algérie peuvent toutes potentiellement développer des armes nucléaires dans cette partie du monde, cependant que Taiwan, la Corée du Sud et le Japon ont également la capacité d'en faire autant en Asie[3].

1. La Corée du Nord semble détenir plusieurs armes nucléaires. On estime qu'elle a commencé à produire des matières fissiles pour en fabriquer bien davantage.

2. C'est de toute évidence la logique de certains partisans de la guerre préventive, notamment Tod Lindberg : pour que la guerre préventive se révèle dissuasive, a-t-il reconnu avec une franchise ahurissante, « on doit être en mesure d'avoir le dessus en donnant la leçon qu'on veut enseigner » – ce que seule une nation hégémonique nucléaire comme les États-Unis peut faire. En ce sens, s'empresse d'ajouter Lindberg à juste titre, « on ne peut pas dire que la préemption ou la prévention aient supplanté la dissuasion. Mais plutôt que la préemption est le rétablissement violent des termes de la dissuasion » (Tod Lindberg, « Deterrence and prevention », *Weekly Standard*, 3 février 2003, p. 25).

3. Henry Sokolski, « Two, three, many North Koreas », *Weekly Standard*, 3 février 2003.

La dénomination « armes de destruction massive » s'appliqua de fait dès 1937 aux nouvelles techniques de bombardement allemandes testées pendant la guerre d'Espagne, et devint étroitement liée aux « bombes atomiques et armes de destruction massive similaires » immédiatement après la Seconde Guerre mondiale[1]. Durant toute la guerre froide, elle désigna les bombes nucléaires (au plutonium) et les bombes thermonucléaires (à l'hydrogène). Par ailleurs, l'emploi d'agents chimiques comme le gaz moutarde constitue une menace depuis la Première Guerre mondiale, et fait naturellement l'objet de la Convention sur les armes chimiques et biologiques – à propos de laquelle, malgré leurs références constantes aux ADM, les États-Unis se sont montrés d'une ambivalence notable, goûtant peu les clauses d'inspection propres à empiéter sur leur souveraineté. C'est seulement après le 11 Septembre qu'on a eu recours à la dénomination « armes de destruction massive » pour supprimer la distinction entre, d'une part, les armes de destruction massive nucléaires et thermonucléaires originelles et, d'autre part, des agents biologiques et chimiques qui n'ont jamais, au cours de l'histoire, provoqué le carnage des bombardements conventionnels ni même des mines antipersonnel. Car, avant le 11 Septembre, « en juillet 1999, le plus grand nombre de victimes relevé dans un seul épisode terroriste fut les trois cent vingt-neuf passagers tués dans l'explosion d'un jumbo-jet d'Air India

1. Le 28 décembre 1937, le *Times* de Londres écrivait : « Qui peut songer sans horreur à ce que signifierait une autre guerre généralisée, menée, comme elle le serait, avec les nouvelles armes de destruction massive ? » La déclaration Truman-Atlee-King de 1945 préconisait « l'élimination dans les arsenaux nationaux des armes atomiques et de toutes les armes majeures pouvant s'appliquer à la destruction massive ».

au large des côtes de l'Irlande le 23 juin 1985[1] », tandis que les armes dites de destruction massive utilisées dans des attentats terroristes (contrairement à la guerre) ont causé des pertes encore plus réduites. C'est peut-être pourquoi, en 2002, l'American Dialect Society a fait d'« armes de destruction massive » son « mot de l'année », ratifiant son statut de dénomination largement employée mais « prolixe, dont le sens exprime l'inquiétude d'une nation au sujet de la guerre avec l'Irak[2] ».

Saddam Hussein a peut-être essayé d'acquérir des armes nucléaires (comme beaucoup d'autres nations, parmi lesquelles des adversaires de l'Amérique au Moyen-Orient tels que la Syrie et l'Iran), mais il a de toute évidence détenu et incontestablement déjà utilisé des armes biologiques et chimiques. C'était l'essentiel de la démonstration de Colin Powell au Conseil de sécurité en février 2003[3]. Or la dénomination ADM

---

1. Mark Juergensmeyer, *Terror in the Mind of God : The Global Rise of Religious Violence*, Berkeley, University of California Press, 2002, p. 121.

2. L'American Dialect Society, fondée en 1889, élit un « mot de l'année » depuis 1990. Voir www.usatoday.com, 6 février 2003.

3. Après l'invasion de l'Irak, cependant, on ne trouva guère de preuves de ce que le président Bush avait qualifié, dans son message sur l'état de l'Union de 2003, de vaste programme d'armement de l'Irak comprenant « assez d'armes biologiques pour fabriquer plus de 25 000 litres d'anthrax », « plus de 38 000 litres de toxine botulique », « les matériels permettant de produire jusqu'à 500 tonnes de gaz innervants sarin, moutarde et VX », « jusqu'à 30 000 munitions capables de servir de vecteurs à des agents chimiques », et « des laboratoires mobiles d'armes biologiques [...] conçus pour produire des agents de guerre épidémiologique » (« President's State of the Union Message to Congress and the Nation », *New York Times*, 29 janvier 2003, p. A12).

laisse entendre que détenir et utiliser des armes chimiques équivaut à détenir et utiliser des armes nucléaires. Posséder des souches d'anthrax en laboratoire (fournies au moins en partie à Saddam Hussein par les États-Unis dans les années 1980 lorsqu'il était l'« ami » de l'Amérique dans la guerre contre l'Iran[1]) n'est pas différent, aux termes de la logique élastique des ADM, de posséder des bombes nucléaires et des missiles balistiques intercontinentaux[2]. Une pente glissante s'il en est, qui conduit à des conclusions dangereusement obtuses.

Le gouvernement américain, lorsqu'il fait entrer les agents biologiques et chimiques dans la catégorie des ADM – peut-être pour justifier la guerre avec l'Irak ou pour se prémunir contre ceux qui pourraient un jour lui reprocher de ne pas avoir correctement alerté la population de l'éventualité d'un tel épisode sur le territoire national –, grossit en réalité le péril et accroît la peur. La terreur tire sa réussite des succès qu'elle promet, non de ceux qu'elle obtient réellement, et les tentatives pour s'en défendre deviennent de ce

---

1. Le centre d'approvisionnement américain – The American Style Culture Collection, à Manassas (Virginie) – a fourni aux Irakiens de nombreuses ampoules de dix-sept types d'agents biologiques qui servirent, en même temps que des livraisons françaises, à créer des armes biologiques. Voir Philip Shenon, « Iraq links germs for weapons to US and France », *New York Times*, 16 mars 2003, p. A18.

2. Le département de la Défense inclut à juste titre les systèmes de livraison dans sa liste des technologies des armes de destruction massive, car en l'absence de tels systèmes les armes de destruction massive n'ont qu'une importance minime. De son propre aveu, « pour être réellement efficaces, les agents chimiques ou biologiques doivent être répandus dans un nuage diffus au-dessus d'une vaste zone » (« The military critical technologies list », Office of the Under Secretary of Defense for Acquisition and Technology, Washington, février 1998).

fait son principal instrument. Codifiez les niveaux d'alerte ! Arrêtez tous les petits délinquants et traitez-les de terroristes ! Mentionnez des dangers imprécis ! Faites de la guerre au terrorisme une lutte « sans fin » ! Renversez Saddam Hussein pour son obsession des ADM, même si aucune arme n'a pu être découverte ! Dans sa grotte de montagne ou son appartement de Karachi, le terroriste regardera en toute quiétude ses ennemis s'autodétruire à cause de la peur initiale qu'il a semée par un acte de terreur unique et atypique ou par quelques menaces de relance bien choisies qui n'exigent pas d'être mises à exécution, mais qui seront propagées sur toute la planète par une bande enregistrée coûtant cinq dollars et proposée aux médias mondiaux trop heureux de la diffuser. Une bombe à Bali ou à Casablanca ? Les touristes restent chez eux. Une explosion au Kenya ? Les Israéliens se sentent brusquement aussi menacés à l'étranger qu'à Tel-Aviv. Une école quelque part en Amérique éventuellement vulnérable à un attentat ? Les parents gardent les enfants à la maison ou les envoient en classe en craignant le pire en permanence. De l'anthrax dans un studio de télévision ? Les présentateurs américains transmettent leur propre peur à une nation de spectateurs apeurés (effrayez ceux qui font l'opinion, ils terrifieront tout le monde à votre place). Et vogue la galère : des soldats américains répétant la guerre en Irak pour les caméras de télévision, affublés d'effrayants masques à gaz de cosmonautes et de tenues antibactériologiques qu'on ne leur demandera peut-être jamais de revêtir, vaccinés contre la variole et d'autres agents toxiques auxquels ils n'ont jamais été exposés, cela dans un exercice qui, bien que conçu pour accroître leur préparation au combat à l'ère des armes de destruction massive, risque plus d'exacerber leurs craintes que de les calmer ; le gouvernement faisant passer le « niveau de menace terroriste » du jaune à l'orange quelques semaines avant l'offensive contre l'Irak, puis de nouveau au jaune la guerre finie, avant de le ramener à l'orange puis de le redescendre, ne donnant aucune information précise aux Américains mais provoquant un comportement quasi hystérique, les gens emmaillotant leurs pavillons de banlieue dans des feuilles de plastique, se ruant sur le ruban adhésif (pour clore hermétiquement les fenêtres) et les bouteilles d'eau, les mères achetant des masques à gaz pour leurs marmots de deux ans. On ne voit pas comment de telles mesures serviraient à autre chose qu'à catalyser les peurs mêmes que les terroristes veulent susciter. Ce qui est clair, en revanche, c'est que ces individus, par ailleurs dépourvus de tout pouvoir, peuvent manipuler les gouvernements et les médias de leurs puissants ennemis et amener leurs adversaires à faire le plus gros du travail à leur place.

De même, un seul attentat en mer contre un tanker suffit à susciter l'image de marées noires cataclysmiques produites par des centaines d'autres navires qu'on n'attaquera jamais. Les gardes-côtes américains traquent actuellement plusieurs centaines de cargos battant « pavillon de complaisance » qui pourraient seulement avoir un lien avec le terrorisme – une excellente initiative en matière de sécurité, mais qui ne peut qu'affoler les dizaines de millions d'Américains vivant dans les grandes villes portuaires du pays. La peur est l'instrument et le catalyseur du terrorisme, le multiplicateur et l'amplificateur d'actes terroristes qui à l'échelle mondiale restent peu nombreux et espacés, et qui, tout en portant la dévastation chez ceux qu'ils touchent directement, ont statistiquement moins d'importance que, disons, le nombre annuel de victimes de la circulation ou les tragédies ordinaires de gens qui tombent d'une échelle chez eux.

Le président Bush a déclaré la guerre au terrorisme, et tout ce qu'il a fait depuis le 11 septembre 2001 semble lié aux événements de ce jour fatidique. Comme Peter Boyer l'a écrit, pour riposte « Rumsfeld voulait une guerre non conventionnelle [...] et elle serait aussi proche du terrorisme par sa nature qu'on peut l'attendre d'une nation occidentale[1] ». Or ce n'est pas le terrorisme mais la peur qui est l'ennemi, et au final la peur ne vaincra pas la peur. L'empire de la peur ne fait aucune place à la démocratie, tandis que la démocratie refuse d'en faire une à la peur. Dans les sociétés libres, nous rappelait Roosevelt, « la seule chose dont nous ayons à avoir peur est la peur elle-même ». Les hommes et les femmes libres résolus à se gouverner eux-mêmes se révèlent bien moins vulnérables à la peur que des spectateurs passifs, observant leurs gouvernements anxieux s'efforcer d'en intimider d'autres. La guerre préventive n'empêchera pas le terrorisme au bout du compte ; seule la démocratie préventive peut le faire.

1. Peter J. Boyer, « The new war machine », *The New Yorker*, 30 juin 2003.

PREMIÈRE PARTIE

Pax americana, ou la guerre préventive

1

Aigles et chouettes

Oderint dum metuant.
(Qu'ils nous haïssent, du moment
qu'ils nous craignent.)
CALIGULA.

La ligne de conduite de cette nation
ne dépend pas des décisions des autres.
George W. BUSH, 2003[1].

Dans l'ombre projetée du terrorisme, les États-Unis sont aujourd'hui déchirés entre la tentation de réaffirmer leur droit inné à l'indépendance (qu'il s'exprime sous la forme d'un superbe isolement ou d'une intervention unilatérale) et l'impératif de tester des formes de coopération internationale inédites et expérimentales. Le désir de réaffirmer l'hégémonie et de déclarer son indépendance vis-à-vis du monde naît d'un orgueil démesuré mâtiné de peur : il veut obliger le monde à faire cause commune avec l'Amérique – « Vous êtes avec nous ou avec les terroristes ! » Appelons l'objectif de ce désir *pax americana*, une paix universelle imposée par des armes américaines : l'empire de la peur ancré dans le

1. Message sur l'état de l'Union, 28 janvier 2003.

sentiment de son bon droit, car qu'importe qu'ils nous haïssent du moment qu'ils nous craignent. La *pax americana*, à l'instar de l'hégémonie impériale romaine *(pax romana)* dont elle s'inspire, prévoit une sorte d'harmonie des nations imposée au monde par une force militaire américaine unilatérale – dans la coopération et le droit, du moment qu'ils n'entravent pas la prise de décision et l'action unilatérales.

L'impératif de se risquer à innover et de mettre en place la coopération, de rechercher une solution de remplacement à la *pax americana*, découle du réalisme : il s'exprime par des stratégies visant à permettre à l'Amérique de se joindre au reste du monde. Appelons cette solution *lex humana*, la loi universelle chevillée au cœur de la condition humaine commune. Appelons-la démocratie préventive. La *lex humana* travaille à l'harmonie des nations du monde dans le contexte des droits et des lois universels, instauré par la coopération politique, économique et culturelle multilatérale – limitant l'action militaire commune à celle qu'avalisera une autorité juridique commune, que ce soit au Congrès, dans les traités multilatéraux ou par le biais des Nations unies.

La *pax americana* réaffirme la souveraineté américaine, au besoin sur la planète entière ; la *lex humana* cherche à regrouper les souverainetés (l'Europe en offre un exemple) autour du droit et des institutions internationales, reconnaissant que l'interdépendance a déjà rendu les frontières nationales de la souveraineté poreuses et ses pouvoirs de plus en plus insuffisants. À la suite des campagnes militaires victorieuses en Afghanistan et en Irak (et auparavant en Yougoslavie), la stratégie de *pax americana* semble gagnante. Mais l'histoire montre que la politique américaine est cyclique, et l'interdépendance soutient (comme je vais le faire) que la *lex humana* offre la meilleure stratégie à long terme.

Dans son histoire diplomatique, l'Amérique a mené de front la politique étrangère du « cavalier seul » (la politique du *lone ranger* incarnée par Teddy Roosevelt) et celle du « concert des nations » mettant l'accent sur la coopération multilatérale. Depuis le 11 Septembre du moins, l'administration Bush (ainsi que les deux courants politiques au Congrès et de très nombreux Américains) a paru osciller entre les deux sans prendre parti – abordant par exemple la question de l'Irak avec une ambivalence propre à donner le tournis, qui a fait de l'Amérique le pourfendeur unilatéral du droit international, du multilatéralisme et des Nations unies les lundis, mercredis et vendredis, et leur sauveur multilatéral les mardis, jeudis et samedis. Quelques semaines à peine avant le début de la guerre des États-Unis contre l'Irak, les sondages indiquaient que près des deux tiers de l'opinion publique américaine ne soutenaient une guerre que si elle se faisait avec l'aval des Nations unies. Au bout de quinze jours de campagne, les deux tiers approuvaient la guerre sans le soutien de l'ONU.

Malgré toute la fervente conviction unilatéraliste du président Bush, le pays et, à un certain degré, l'administration Bush elle-même se répartirent en deux camps antagonistes que j'appellerai non pas « va-t-en-guerre » et « poules mouillées » (ou « faucons » et « colombes »), mais « aigles » et « chouettes ». L'aigle est un prédateur patriotique d'un type spécial – une espèce qui, aux termes de ma métaphore, fonce sur sa proie à midi sans trop se soucier du reste. La chouette, pourtant chasseresse elle aussi, est un oiseau doté d'un œil perçant même dans un univers ombreux et voyant clair même la nuit. Telle la célèbre chouette de Minerve de Hegel, elle ne s'envole qu'au crépuscule, quand le contour des choses se dessine à la tombée du jour. On trouve dans les aigles de l'administration Bush les membres très visibles du parti de la guerre, comme le vice-président Richard Cheney et le secrétaire à la Défense Donald Rumsfeld, mais bien d'autres encore, notamment le secrétaire-adjoint à la Défense Paul Wolfowitz, le président du Bureau de la politique de défense au Pentagone Richard Perle et le sous-secrétaire d'État John Bolton. Les chouettes ne comptent pas seulement le secrétaire d'État Colin Powell, mais aussi les chefs d'état-major inter-armes ainsi que de nombreux hauts fonctionnaires de l'establishment diplomatique et des officiers de carrière du département d'État et de la Défense.

Lorsque le président écoute les appels prudents de chouettes du sérail comme l'ancien chef d'état-major des armées et actuel secrétaire d'État Colin Powell, ou de personnalités extérieures comme les généraux Anthony Zinni et Brent Scowcroft, les aigles se laissent persuader des vertus de la coopération multilatérale. Mais ils sont d'une impatience surnaturelle. Une idée fixe les hante : le droit souverain des États-Unis indépendants et de leur « peuple élu » à se défendre à l'endroit, au moment et de la façon qui leur siéront, contre des ennemis qu'eux seuls sont en droit d'identifier et de définir. Loin de s'accrocher aveuglément à la souveraineté, ils savent que les prérogatives des États-Unis arrivent à leur terme et veulent donc imposer au plus vite la présence de l'Amérique dans le monde entier par tous les moyens disponibles, entre autres les menaces militaires, l'assassinat et la guerre de préemption* et préventive, parallèle-

* Voir plus loin la note de la page 99.

ment à la dissuasion multilatérale et à l'endiguement traditionnels. Ils savent quels dommages la peur peut infliger à l'Amérique et s'efforcent au contraire d'en faire son arme.

La guerre d'Irak illustre clairement le militantisme des aigles, mais les conséquences de leur nouvelle doctrine stratégique vont bien au-delà de ce pays. Quelque nom qu'on lui donne, la stratégie appliquée contre l'Irak ne fut en rien une entreprise ponctuelle destinée à faire diversion. Saddam Hussein n'est pas devenu brusquement l'ennemi mortel des Américains à cause du pétrole, à cause d'Israël, parce que le président voulait venger son père, parce que le parti républicain savait qu'une guerre détournerait l'attention de l'économie en déclin lors des élections à l'automne 2002 et par la suite. L'attitude de l'administration envers Saddam Hussein (dont le pouvoir et les prétendues armes de destruction massive avaient bénéficié de l'appui d'administrations américaines antérieures) existait en tant que concept bien avant le 11 Septembre et plonge ses racines dans l'idée profonde et éternelle que le monde de l'Amérique est un lieu dangereux pour les Américains[1].

La nouvelle stratégie prévoit une guerre sans fin : là où l'intimidation (première option de la peur) échoue, une succession d'interventions dans un pays, puis un autre, et encore un autre, allant des partenaires de l'axe

1. « Avant les attentats [du 11 Septembre], le Pentagone travaillait déjà depuis des mois à une solution militaire en ce qui concernait l'Irak », rapporte Bob Woodward. Lors d'une réunion qui se tint quelques jours à peine après le 11 Septembre, « Rumsfeld émit l'hypothèse qu'ils pouvaient prendre avantage de l'occasion offerte par les attentats terroristes pour attaquer Saddam sur-le-champ » (Woodward, *Bush s'en va-t-en guerre*, *op. cit.*, p. 69).

du mal, de l'Irak en Iran et en Corée du Nord, aux pays où existeraient d'obscures relations avec le terrorisme, de la Syrie et de la Somalie à l'Indonésie et aux Philippines – où les États-Unis ont cantonné un millier d'hommes, dont trois cents soldats de combat, en février 2003. Elle prévoit d'abattre les adversaires un à un où qu'ils se trouvent, que ce soit dans des régimes hostiles ou dans des pays amis et alliés accueillant des associations terroristes tels que l'Égypte, l'Arabie Saoudite et le Pakistan. Elle prévoit des frappes – même des frappes nucléaires tactiques « sévères » – contre les puissances détenant l'arme nucléaire, notamment des pays comptant une armée forte d'un million d'hommes comme la Corée du Nord[1]. Bref, elle prévoit une guerre rendue permanente par une stratégie dévoyée qui vise des entités nationales servant de doublures non pertinentes mais visibles (États voyous et régimes du mal, par exemple), au lieu d'ennemis terroristes pertinents mais invisibles.

L'aigle de l'administration le plus influent n'est ni le vice-président Dick Cheney, ni le secrétaire à la Défense Donald Rumsfeld, ni l'aile ultraconservatrice du parti républicain, mais le président Bush lui-même,

---

1. Dans un essai figurant en page de commentaires et analyses du *New York Times*, intitulé « Secret, scary plans », l'éditorialiste Nicholas D. Kristof écrit que les États-Unis procèdent à l'élaboration de plans d'urgence prévoyant des « frappes de missiles de croisière chirurgicales », voire un « bombardement sévère », incluant l'emploi d'armes nucléaires tactiques contre les installations nucléaires nord-coréennes. Kristof note que ni la Corée du Sud ni le Japon ne comprennent « la gravité de la situation [...], en partie parce qu'ils ne croient pas l'administration assez insensée pour envisager une frappe militaire contre la Corée du Nord ». Et de conclure : « Ils se trompent. » (*New York Times*, 28 février 2003, p. A25.)

un homme motivé par une foi inébranlable dans les raisonnements missionnaires et les solutions militaires pour résoudre les problèmes de l'insécurité mondiale. Le président Bush répète à satiété depuis le 11 Septembre que, dans son esprit, son mandat présidentiel est défini presque exclusivement par la guerre afin d'assurer la sécurité de l'Amérique dans un monde dangereux. Cette guerre, il l'a formulée en termes de vertu exceptionnelle de l'Amérique et de désir de nuire de l'étranger – vision qui paraîtra pharisienne à l'observateur extérieur, voire manichéenne (répartissant le monde en deux camps : celui du bien et celui du mal), mais qui est une motivation puissante à l'intérieur des États-Unis et qui dote sa politique d'un militantisme intransigeant, invulnérable à l'opinion publique mondiale.

Dans le discours révélateur d'une époque qu'il prononça à la cathédrale nationale quelques jours après le 11 Septembre, le président déclara : « Nous sommes ici au cœur de notre douleur [...]. Mais notre responsabilité devant l'histoire est d'ores et déjà claire : répondre à ces attentats et débarrasser le monde du mal. » Lorsqu'il acheva son discours, comme le rapporte Bob Woodward dans son récit semi-hagiographique *Bush s'en va-t-en guerre*, l'assistance « se leva et chanta "The Battle Hymn of the Republic" ». Le président avait-il « une vision grandiose du plan directeur de Dieu qui incluait sa mission et celle du pays[1] », comme l'écrit Bob Woodward, ou faisait-il simplement étalage d'un moralisme américain bien connu ? Toujours est-il que cette sémantique religieuse aura

1. Woodward, *Bush s'en va-t-en guerre*, *op. cit.*, p. 86-87.

galvanisé ses partisans comme ses adversaires. L'« axe du mal » s'est révélé un slogan aussi fécond aux États-Unis que contre-productif dans le reste du monde[1]. Là où les autres redoutaient une guerre sans provocation, le président Bush envisageait une campagne totalement provoquée contre les « agents du mal », une campagne menée au nom de la liberté : « Ou vous croyez et voulez croire à la liberté et vous vous souciez de la condition humaine, ou bien non[2]. »

Lorsque le directeur de la CIA, George Tenet, dit au président Bush que s'il souhaitait s'attaquer réellement aux pays qui soutenaient ou accueillaient des terroristes, il aurait sur les bras « un problème avec soixante pays », celui-ci lui rétorqua : « Prenons-les un par un[3] » – la *pax americana* par doses progressives. Cette décision s'est révélée déterminante dans l'application de la nouvelle doctrine nationale de sécurité de l'administration Bush et devrait faire réfléchir ceux qui voient dans l'Irak un cas exceptionnel qui ne permet pas de prévoir la future stratégie de l'Amérique. En réalité, l'administration Bush a refusé de se laisser entraîner dans une

1. Le président Bush usa pour la première fois de cette expression dans son discours sur l'état de l'Union du 29 janvier 2002 : « Ces États, déclara-t-il à propos de l'Irak, de l'Iran et de la Corée du Nord, et leurs alliés terroristes constituent un axe du mal, qui s'arme pour menacer la paix dans le monde. »

2. Cité par Patrick E. Tyler, « A signal moment ahead », *New York Times*, 8 décembre 2002, p. A30. Citant l'entretien avec Bob Woodward d'où cette remarque était tirée, Tyler remarque avec sagacité : « Ces commentaires laissent entendre que M. Bush n'a pas entrepris de déclencher une crise avec l'Irak survenant à point nommé, comme le prétendent certains de ses détracteurs, afin de détourner l'attention du pays d'une économie dans une mauvaise passe. »

3. Cité par Woodward, *Bush s'en va-t-en guerre*, *op. cit.*, p. 52.

nouvelle bagarre avant d'avoir « abattu » son adversaire actuel. Même si l'Irak constituait un problème pressant, c'est seulement un an après le 11 Septembre et bien après la fin de la phase militaire de la campagne contre les talibans que Saddam Hussein devint l'obsession majeure de l'Amérique. Pendant la phase irakienne, la Corée du Nord fut mise de côté, quitte à ce que la politique américaine paraisse incohérente et hypocrite. Mais des aigles impatients établissaient déjà leurs plans d'urgence pour la Corée, peut-être aussi pour l'Iran et la Syrie[1], et en mettaient d'autres en chantier pour des théâtres plus lointains de guerre possible contre les terroristes, comme en Indonésie et aux Philippines. « Un par un » montre qu'il existe une cohérence profonde dans ce qui apparaît sinon comme un fouillis d'initiatives concurrentes, que la guerre d'Irak n'était pas un cas exceptionnel mais faisait partie d'un plan de guerre préventive qui englobait et englobe le monde entier.

Les aigles sont unilatéralistes par nature, car leur vertueux courroux s'enracine dans le mythe du caractère exceptionnel de l'Amérique. La croyance en ce mythe permet aux tenants de l'attitude dure de se draper dans leur vertu, d'utiliser l'innocence pour justifier une guerre elle aussi vertueuse et d'invoquer l'indépendance souveraine pour rationaliser l'unilatéralisme stratégique. C'est

1. Témoignant devant le Congrès le 11 février 2003, George Tenet a déclaré qu'il existait des « signes inquiétants de la présence d'Al-Qaida en Iran comme en Irak ». De même, le sous-secrétaire d'État John Bolton confia aux responsables israéliens que les États-Unis, après avoir vaincu l'Irak, allaient « s'occuper » de l'Iran, de la Syrie et de la Corée du Nord (Paul Krugman, « Things to come », *New York Times*, 18 mars 2003, p. A33).

ainsi que le président Bush, légitimant après coup la guerre en Irak, déclarait à la nouvelle promotion de gardes-côtes :

> Parce que l'Amérique aime la paix. L'Amérique travaillera et se sacrifiera toujours pour l'essor de la liberté. Le progrès de la liberté est plus qu'un intérêt que nous poursuivons. C'est une vocation que nous suivons [...]. En tant que peuple attaché aux droits civils, nous sommes amenés à définir les droits humains des autres. Nous sommes la nation qui a libéré les continents et les camps de concentration. Nous sommes la nation du plan Marshall, du pont aérien de Berlin et du corps de la paix. Nous sommes la nation qui a mis fin à l'oppression des femmes afghanes, et nous sommes la nation qui a fermé les chambres de torture de l'Irak [...]. L'Amérique veut étendre non pas ses frontières, mais le territoire de la liberté[1].

Les chouettes anxieuses, prophètes de la nouvelle interdépendance, répètent avec insistance que ni la sécurité ni la liberté ne seront plus garanties même par la plus puissante des nations si celle-ci opère seule et se repose uniquement sur sa force militaire souveraine. Bien qu'elles prisent la souveraineté, les chouettes croient que son essence a été mise à mal bien avant les attentats du 11 Septembre. Bien qu'elles comprennent l'usage de la force, elles pensent que sa finalité doit se conformer au droit pour servir ses véritables objectifs. Bien qu'elles prennent la juste mesure de l'emprise de la peur sur les populations, elles savent que ce pouvoir peut être utilisé tant

1. George W. Bush, « Remarks by the President in Commencement Address to United States Coast Guard Academy », New London, Connecticut, 21 mai 2003.

par les terroristes que par les États légitimes, alors que l'influence de la démocratie n'appartient qu'aux seules sociétés démocratiques. Aussi les chouettes recherchent-elles la diplomatie, la coopération, la démocratisation et la sécurité collective, non parce qu'elles prônent le compromis, mais parce qu'elles sont réalistes. Aux réunions du conseil de guerre du président Bush, Colin Powell affichait le même militantisme enragé que n'importe qui après les attentats du 11 Septembre : « Il ne s'agit pas simplement d'une attaque contre l'Amérique, c'est une attaque contre la civilisation, fulminait-il. Ce sera une longue guerre, une guerre que nous devons gagner. » Mais il s'exprimait avec la sagesse de la chouette en ajoutant cette note prudente : « Nous nous engageons avec le monde. Nous voulons que ce soit une coalition qui dure longtemps[1]. » Malgré la sagesse des propos que tiendront les chouettes, leur voix ne dominera pas toujours les vociférations des aigles patriotiques qui en appellent à la justification de l'indépendance souveraine et à l'autorité de la peur instaurée par des stratégies de choc et stupeur. Lorsque le secrétaire à la Défense Donald Rumsfeld et son assistant Paul Wolfowitz ont commencé à faire campagne pour une offensive contre l'Irak alors que la guerre contre les talibans n'avait même pas encore abordé sa phase de planification, Colin Powell lança au chef d'état-major des armées : « À quoi diable pensent-ils, ces types-

1. Cité par Woodward, *Bush s'en va-t-en guerre*, *op. cit.*, p. 85. Powell passa quarante-sept coups de téléphone aux dirigeants du monde dans les premiers jours qui suivirent le 11 Septembre, tandis que les aigles réclamaient la guerre à grands cris.

là ? Vous ne pouvez pas les faire rentrer dans leur boîte[1] ? »

L'impatience des aigles distance parfois le corollaire du « un par un » de la doctrine de guerre préventive ; les aigles ont en effet une vue perçante, bien que d'un champ réduit, et ne se laissent pas facilement remettre dans leur « boîte ». Eux aussi reconnaissent à l'occasion la réalité de l'interdépendance, mais en la jaugeant d'un œil sceptique, n'étant plus les réalistes inflexibles des années de guerre froide, où l'équilibre fragile de la terreur nucléaire dictait prudence et patience : endiguer et non interdire, dissuader les actes d'agression et non transformer des régimes agressifs. Ils sont devenus les nouveaux idéalistes – des idéalistes de l'unilatéralisme et de la guerre –, convaincus que la puissance hégémonique leur donne les moyens de frapper vite et de façon concluante. Dans leur ferveur romantique, ils ne doutent pas une seconde de leur pouvoir de réduire en miettes l'interdépendance par des actes d'autoaffirmation souveraine, d'annuler la complexité planétaire par leur audace nationaliste, de libérer les peuples asservis en les amenant à la soumission sous les bombes, de démocratiser des hommes et des femmes qui n'ont jamais connu la liberté en exécutant leurs dirigeants.

Curieusement, ce sont les chouettes – vieux oiseaux rompus à la stratégie et vétérans circonspects – qui sont les réalistes d'aujourd'hui. Pour eux, l'interdépendance

1. *Ibid*, p. 81. Au début de la guerre d'Irak, en mars 2003, Colin Powell était lui-même sorti de sa « boîte », stigmatisant avec les aigles les manigances des Français et de leurs partisans aux Nations unies. On peut néanmoins émettre l'hypothèse que Powell, n'étant pas parvenu à empêcher une intervention en Irak, gardait ses opinions pour plus tard, espérant pouvoir jouer de nouveau la carte diplomatique après la guerre.

représente moins une aspiration, le monde comme ils le souhaiteraient, qu'une réalité pressante qui commande de travailler avec les autres au moyen du droit, car c'est la seule manière d'assurer leur survie. Ils refusent de se laisser clouer au sol par la peur, qu'ils l'utilisent ou en éprouvent les effets lorsqu'elle s'exerce contre eux. Ils sont moins convaincus de son efficacité que Machiavel en d'autres temps, peut-être parce qu'ils comprennent que les terroristes vivent au-delà de l'empire de la peur, dans un lieu où la mort est préférable à la vie, et où tomber sous les coups de la machine militaire hégémonique de l'Amérique est une marque d'honneur.

Soucieux de faire appliquer le droit et convaincus (à juste titre) que le droit n'est rien s'il reste lettre morte, les aigles tablent sur une souveraineté nationale musclée plutôt que sur la conclusion de traités et la coopération multilatérale. Ils espèrent protéger l'indépendance contre les revendications de l'interdépendance par des actes de volonté absolue ponctués d'agissements d'une puissance terrifiante. Quand le secrétaire d'État Colin Powell mit en garde le président Bush contre le danger d'éclatement de la coalition qui soutenait sa guerre contre Al-Qaida s'il s'en prenait à d'autres groupes terroristes ou États comme l'Irak, celui-ci – son œil d'aigle étincelant – répondit qu'il refusait de se laisser dicter sa conduite par d'autres pays : « Il se peut qu'à un moment donné nous restions seuls. C'est OK pour moi. Nous sommes l'Amérique[1]. » Lorsque les alliés le pressèrent d'obtenir une seconde résolution des Nations unies pour frapper l'Irak, il leur rappela que l'Amérique n'avait besoin de la permission de personne pour se

1. *Ibid.*, p. 101.

défendre. D'après les commentaires révélateurs d'un haut responsable anonyme de l'administration Bush le jour où le gouvernement irakien présenta le rapport sur son armement aux Nations unies à la fin de 2002, les États-Unis ne se jugeaient pas liés par ce rapport ni par la réaction des Nations unies à son contenu : le problème irakien, déclara-t-il, ne se joue pas « dans un prétoire, c'est une affaire de sécurité nationale[1] ».

Les chouettes craignent que l'attention portée à l'application du droit n'ébranle ce droit qu'elle est censée consolider. De la même façon que des policiers trop zélés peuvent saper la loi qu'ils invoquent en abattant leur matraque, l'étalage immodéré de la puissance américaine ébranle la notion même du droit dont elle se réclame. Le musée national irakien n'a pas été victime de Saddam Hussein ni de la guerre qui a vaincu le dirigeant, mais de l'anarchie que la guerre a déclenchée sur la voie conduisant (peut-être) à la démocratie. La peur reste un facteur très mobilisateur, mais ses hauts faits sont essentiellement négatifs. Comme l'écrivait Edmund Burke à propos des sanctions terroristes par lesquelles les jacobins tentèrent d'imposer leur religion de la raison dans la France de 1789, « dans le jardin de *leur* académie, on ne verra se dresser au bout de chaque allée que la potence[2] ». La révolution à la lame de la guillotine se révéla un triste substitut à la démocratie.

1. Cité par John F. Burns et David E. Sanger, « Iraq says report to the UN shows no banned arms », *New York Times*, 8 décembre 2002, p. A28.

2. Edmond Burke, *Reflections on the Revolution in France*, Everyman Edition, New York, E.P. Dutton, 1910 ; en français : *Réflexions sur la Révolution de France,* trad. Pierre Andler, Paris, Hachette Littératures, 1989, p. 98.

Les chouettes se reposeraient plus volontiers sur un droit international musclé garanti par la coopération et la gouvernance mondiale, sur l'application de mesures de sécurité collectives, que sur la puissance américaine unilatérale. Bob Woodward, « imaginant » ce que pense Colin Powell (c'est sa « méthode ») après que le président Bush a dit à son secrétaire d'État qu'il est prêt à y aller seul, nous livre ses réflexions : « Y aller seul, c'était justement ce qu'il voulait si possible éviter. Il pensait que le point de vue du président n'était pas réaliste. Sans partenaires, les États-Unis ne pouvaient pas lancer une guerre efficace, même en Afghanistan, encore moins dans le monde entier [...]. Des propos fermes pouvaient être nécessaires, mais il ne fallait pas en faire une politique[1]. » La peur suscite le silence, voire la soumission ; elle produit rarement une sécurité durable.

Ni les aigles ni les chouettes ne manquent de force de conviction, et tous possèdent de puissants arguments. Au sein de l'administration Bush, ils sont même parvenus à un certain degré de collaboration auquel on doit quelques succès remarquables, imposant l'évidence : la force et le droit ont besoin l'un de l'autre si l'on veut garantir une issue démocratique. Mais les aigles, laissés à eux-mêmes (et c'est bien ainsi qu'ils veulent qu'on les laisse en fin de compte), se trompent. Forts de leur idéalisme de l'exception qui les place du mauvais côté de l'histoire, ils se trompent même tragiquement. La doctrine de guerre préventive qui définit leur stratégie reconnaissable entre toutes leur a certes valu des victoires audacieuses à court terme, mais elle est potentiellement désastreuse pour l'Amérique et pour la planète.

1. Woodward, *Bush s'en va-t-en guerre*, *op. cit.*, p. 101.

Les chouettes sont dans le vrai, ne serait-ce que par leur nouveau réalisme – un réalisme qui reconnaît que l'histoire ne se rangera jamais plus dans le camp de l'Amérique tant que l'Amérique ne se ralliera pas à celui de l'interdépendance. Non que le droit puisse avoir le dernier mot sans des sanctions ou que la gouvernance soit possible sans pouvoir. Les grandes différences en matière d'orientations tournent en dernier ressort autour d'une question : la puissance est-elle guidée par le droit et s'y conforme-t-elle, ou a-t-elle pour seule ambition d'assujettir, de pacifier et de dominer ? Ce n'est pas le cas dans une guerre préventive, et même si les chouettes de l'administration ne l'ont pas formulé si explicitement, une politique nationale de sécurité réaliste et efficace est fondamentalement incompatible avec la guerre préventive.

Les aigles sont persuadés (et sur ce point ils ont raison) que la domination mondiale inégalée de la puissance militaire, économique et culturelle de l'Amérique signifie qu'il ne peut y avoir de monde viable sans l'Amérique : pas de prospérité pour les pauvres, pas de primauté du droit pour les nations, pas de justice pour les peuples, pas de paix pour l'humanité. Or les chouettes sont tout aussi convaincues (et elles aussi ont raison) que l'hégémonie américaine est remise en cause par la réalité inéluctable de l'interdépendance – une réalité mise en évidence par la vulnérabilité des États les plus indépendants et les plus puissants face à la globalisation. C'est-à-dire par l'internationalisation des emplois, de la production, des capitaux et de la consommation ; par la nature transnationale des fléaux de santé publique comme le sida, le SRAS (syndrome respiratoire aigu sévère) ou le virus Ebola ; par les menaces écologiques transrégionales comme le réchauffement du climat ou l'extinction des espèces ; par la mondialisation de la technologie de l'information ; et par la prolifération des réseaux anarchiques de la criminalité et du terrorisme. Autrement dit, il n'existe pas d'Amérique viable sans le monde : pas de sécurité pour les civils américains, pas de garantie pour les investisseurs américains, pas d'immunité pour les citoyens américains sans sécurité, garantie et liberté pour tous.

2

Le mythe de l'indépendance

> Nous avons pour mission, en tant que pays privilégié,
> de faire un monde meilleur.
> George W. BUSH, 2003[1].

> Je n'ai jamais connu d'homme qui eût de meilleurs mobiles,
> malgré tout le désordre qu'il a causé.
> Graham GREENE, *Un Américain bien tranquille.*

Une nation crée autant son passé que son futur. Les mythes que nous produisons pour expliquer nos origines, nos traits distinctifs et notre destin nationaux paraîtront s'enraciner dans l'histoire, mais l'histoire elle-même comporte une part d'affabulation dont le but est d'inventer ces racines[2]. Depuis sa fondation, l'Amérique

1. Message sur l'état de l'Union, 28 janvier 2003.

2. J'utilise le terme « mythe » au sens où Richard Slotkin l'emploie lorsqu'il note : « Le mythe exprime une idéologie sous une forme narrative ; son langage est métaphorique et suggestif, non logique et analytique. » Ce qu'il appelle des « icônes mythiques » offre « une construction poétique formidablement succincte et comprimée » évoquant « une compréhension implicite de tout le scénario historique » (*Gunfighter Nation : The Myth of the Frontier in Twentieth-Century America*, Norman, Oklahoma University Press, 1998, p. 6).

s'est attribué un caractère exceptionnel l'exemptant des lois qui gouvernent la vie et le destin des autres nations. Les démocraties, soulignait James Madison, ont « toujours offert le spectacle du trouble et des dissensions, [...] ont toujours été incompatibles avec la sûreté personnelle et le maintien des droits de propriété », mais le gouvernement républicain encore inédit de l'Amérique « offre un point de vue différent, et promet le remède que nous cherchons[1] ». Thomas Jefferson, architecte (entre autres) d'une « grande » Amérique continentale grâce à l'achat de la Louisiane et à l'expédition Lewis et Clark aux confins du Nord-Ouest, écrivait quant à lui que l'expérience américaine apportait « une nouvelle preuve du caractère erroné de la doctrine de Montesquieu, à savoir qu'une république ne peut se maintenir que dans un petit territoire. C'est l'inverse qui est vrai. Notre territoire n'eût-il même représenté qu'un tiers de ce qu'il est, nous aurions disparu[2] ». C'est la nouveauté de l'Amérique qui fascine Alexis de Tocqueville : ce pays où « l'imagination n'a point de limite ; elle s'y étend et s'y agrandit sans mesure ». Cette « image magnifique » que les Américains ont d'eux-mêmes « ne s'offre pas seulement de loin en loin à l'imagination des Américains ; on peut dire qu'elle suit

---

1. James Madison, Federalist Number 10, *The Federalist Papers*, Modern Library Edition, New York, Random House, 1937, p. 58-59 ; en français : *Le Fédéraliste*, trad. Gaston Jèze, nouvelle édition préfacée par André Tunc, Économica, Paris, 1988, p. 72-73.

2. Cité par Walter LaFeber, *The American Age : US Foreign Policy at Home and Abroad, 1750 to the Present*, 2e éd., New York, W.W. Norton, 1994, p. 52. L'*Esprit des lois* de Montesquieu constituait un *locus classicus* pour la théorie républicaine, tenant que les républiques ne pouvaient préserver leur liberté lorsque leur territoire s'étendait et devenait « impérial » par la force des choses.

chacun d'entre eux dans les moindres de ses actions comme dans les principales, et qu'elle reste toujours suspendue devant son intelligence[1] ».

Certes, l'Amérique n'a rien d'exceptionnel dans ses préjugés « exceptionnalistes » : les Suisses parlent du *Sonderfall Schweiz* (le cas spécial de la Suisse), la France s'est longtemps attribué une « mission civilisatrice » elle aussi exceptionnelle en raison de son attachement à la liberté, à l'égalité et à la fraternité (et elle en garde plus que de simples traces aujourd'hui), tandis que de l'Athènes antique à la Chine classique des sociétés se sont targuées de posséder un caractère tout aussi exceptionnel en qualifiant les autres nations du monde de « barbares ». Même les juifs libéraux ont imaginé une Allemagne férue de son exception. Victor Klemperer, diariste de la Shoah, écrivait : « Nous autres Allemands sommes meilleurs que les autres nations. Plus libres dans la pensée, plus purs dans les sentiments, plus justes dans les actes. Nous autres Allemands sommes vraiment un peuple élu[2]. » Mais aucune nation ne s'est montrée plus attachée au mythe de son caractère exceptionnel dans sa politique et dans ses pratiques que les États-Unis, et aucune n'a placé son idéologie de l'exception plus au centre de sa vie nationale et de sa politique internationale. Au nombre des mythes « exceptionnalistes » qui enflamment l'imagination américaine, celui de l'innocence prime peut-être sur tous les autres – étayé par l'idéologie d'indépendance.

---

1. Alexis de Tocqueville, *De la démocratie en Amérique*, vol. II, Paris, Gallimard, 1961, p. 107-108.

2. Cité par Jason Epstein, « Leviathan », *New York Review of Books*, 1er mai 2003.

Herman Melville l'explore en long et en large comme n'importe quel Américain, mais il est flagrant dans les écrits de Walt Whitman et de Henry James après lui, éclatant chez les puritains et les fondateurs américains avant lui[1]. À l'époque de sa fondation, les Européens voyaient déjà dans l'Amérique un second éden, une nouvelle terre appelant un peuple élu. Tom Paine avait fondé sur ces prémices d'innocence une révolution qui regarderait non pas en avant, mais en arrière pour retrouver les anciens droits et libertés des citoyens anglais. L'Amérique, lieu où les hommes (pour citer Paine) pourraient « recommencer le monde », donnait aux Américains la possibilité de revenir au passé et de reprendre l'histoire humaine « à l'aube des temps[2] ». La Déclaration d'indépendance de Thomas Jefferson rappelait des droits plus naturels et plus anciens qu'aucun autre engagement politique, des droits qui justifiaient de renverser un régime coupable d'abus et permettaient aux hommes de « prendre, parmi les puissances de la terre, la place séparée et égale à laquelle les lois de la nature et du Dieu de la nature lui donnent droit ». La légitimité elle-même était frappée en Amérique au coin de l'innocence, car de tout temps l'illégitimité fut tenue pour l'enfant des caprices de l'histoire et de la corruption, des

1. Pour un exposé du rôle de Melville dans la description du mythe de l'innocence américaine, voir mon « Melville and the myth of American innocence », in David Scribner (dir.), *Aspects of Melville*, Pittsfield, Massachusetts, Berkshire County Historical Society at Arrowhead, 2001.

2. « Le cas et la situation de l'Amérique se présentent comme au commencement du monde [...]. Il nous est soudain donné d'assister aux débuts d'un gouvernement, comme si nous vivions à l'aube des temps » (Thomas Paine, *The Rights of Man*, in *Complete Works*, vol. 1, New York, Citadel Press, 1945, p. 376).

droits bafoués et déniés, tandis que la légitimité découlait du devoir nouveau et naturel des hommes de « rejeter un gouvernement [tyrannique] et de pourvoir, par de nouvelles sauvegardes, à leur sécurité future* ».

Au siècle des Lumières, de nombreux Européens virent dans l'Amérique une échappatoire à l'histoire lourdement lestée de l'Europe. Méditant sur la chronique européenne d'intolérance, de guerres de religion, de persécutions et de luttes fratricides, Voltaire avait jugé que l'histoire se résumait à peu de chose près à un catalogue d'erreurs et d'aberrations de l'humanité. L'Amérique semblait si différente ! Le Nouveau Monde était « vide » (l'Indien demeurait invisible aux yeux de l'Europe, il appartenait à la flore et à la faune du continent) ; il était, au sens littéral, une *tabula rasa*, une tablette vierge sur laquelle des hommes nouveaux pourraient graver une histoire nouvelle.

C'était à cette Amérique vierge que songeait sans doute John Locke lorsqu'il écrivait dans son *Second Traité sur le gouvernement* que les esprits mécontents des contraintes d'un contrat social tyrannique, si la révolution se révélait impossible, pouvaient à la place aller dans les « lieux vides » *(loci vacui)* du monde et recréer la société. Les célèbres *Letters from an American Farmer (Lettres d'un fermier américain)* de Hector St. John de Crèvecœur, écrites pendant la période comprise entre la Révolution et l'élaboration de la Constitution et qui rencontrèrent un succès retentissant et mérité, donnaient de l'Américain l'image d'un « homme nouveau » dans une Amérique qualifiée de vaste « asile [où tout] ne tendait qu'à leur

* Déclaration unanime des treize États d'Amérique réunis en Congrès le 4 juillet 1776, traduction de Thomas Jefferson. *(NdT)*

donner [aux Américains] un nouvel essor, une nouvelle législation, un nouveau mode de vie, une nouvelle organisation sociale[1] ». On imagine déjà l'orgueil démesuré avec lequel une nation qui avait d'elle-même cette image risquait de la projeter un jour au-delà de ses frontières. Pourtant, Crèvecœur préfigurait lui-même l'attachement fondateur de l'Amérique à la primauté du droit. À la question de savoir « par quel effet mystérieux » cette « métamorphose surprenante » avait pu survenir, il répondait : « Par celui des lois. »

Alors que les passions politiques européennes qu'avaient fuies les fondateurs de l'Amérique étaient saturées de religion, la nouvelle et fervente religion civile américaine s'abritait dans le havre paisible d'une Constitution où étaient inscrites les lois inaltérables de la nature. Le patriotisme de l'Amérique s'ancrait dans les idées et non dans le sang, dans le droit et non dans la parenté, dans la citoyenneté volontaire et non dans de prétendues racines, dans la foi constitutionnelle et non dans l'orthodoxie confessionnelle. James Madison avait beau insister sur le jeu des intérêts dans *Le Fédéraliste*, la politique étrangère américaine commença par poser que l'Amérique était vertueuse et évita de ce fait de « s'engager dans des alliances avec l'étranger » tout en isolant le continent américain des empiétements de l'étranger (ce qui deviendrait plus tard la doctrine de Monroe).

Que ce fût au nom de l'intérêt ou de la vertu, toujours est-il que la nouveauté de l'expérience américaine amena

1. J. Hector St. John de Crèvecœur, *Letters from an American Farmer*, New York, Penguin, 1981, p. 68-69 ; en français : *Lettres d'un fermier américain*, trad. Jean Lacroix et Patrick Vallon, Lausanne, L'Âge d'homme, 2002, p. 46-47.

James Madison à souligner le besoin d'une nouvelle science expérimentale afin de formuler, pour son pays, une Constitution différente de toutes celles auxquelles auraient pu s'appliquer les théories politiques constitutionnelles de l'Europe. Alexis de Tocqueville voyait dans la république jacksonienne, qu'il visita au début des années 1830, un épisode entièrement inédit dans la jeune histoire de la démocratie. La mythologie américaine alliait un profond respect du droit à une énergie neuve et à une naïveté de néophyte : une *lex humana* qui devait sa fraîcheur et sa réalité tangible à ce que les Américains considéraient comme l'innocence surnaturelle de leur revendication à la liberté garantie par le droit. À croire que l'innocence hypothétique de l'état de nature de Rousseau avait été inscrite dans les vraies prémices de l'Amérique. Même après les enseignements sanglants d'une atroce guerre civile, l'innocence figurait au nombre des thèmes particulièrement prenants de Walt Whitman. Malgré l'esclavage et les batailles qu'elle livra en son nom, l'Amérique conserva son auréole d'innocence vertueuse jusqu'au *Gilded Age*, qui l'introduisit dans le nouveau siècle, où Henry James pouvait s'interroger sur l'inconséquence persistante d'« innocents Américains à l'étranger » et se complaire dans les aventures de Daisy Miller et autres, à l'éternelle fraîcheur naïve.

Comment une nation si neuve et si innocente devait-elle se conduire à l'étranger ? Comment survivre dans un monde de nations baignant dans la criminalité et l'irrationalité ? Ces questions éludaient l'autre penchant de l'Amérique, pour le pragmatisme et l'adaptation celui-là – deux qualités qui allaient aussi marquer et peut-être sauver la politique étrangère américaine des conséquences les moins heureuses du mythe américain. Elles s'enracinaient assez profond pour inquiéter tant les intellectuels que les hommes d'État américains – et Herman Melville plus que tout autre. Le gabier de misaine bégayant de son court récit *Billy Budd, Sailor (Billy Budd, marin)* en offre un exemple ambivalent. Il ressemblait tant à la jeune Amérique : enfant trouvé, bienheureux illettré totalement dépourvu de la « sagesse du serpent ». Si l'Amérique était un nouvel éden reconquis sur le passé souillé de l'Europe, Billy laissait entrevoir ce que pouvait être le citoyen du nouvel éden : « une sorte d'honnête barbare, assez comparable à ce que fut peut-être Adam avant que le Serpent urbain se fût faufilé dans sa compagnie ». On pourrait alors voir dans Billy Budd face à son persécuteur Claggart l'Amérique affrontant l'Europe qu'avaient fuie ses fondateurs, « cheval frais émoulu du pâturage [...], respirant soudain une bouffée malsaine venue d'une usine chimique ». Mais Billy succombe en définitive à son innocence forcenée, le coup incontrôlé qu'il porte au nom d'intentions louables le condamnant à être exécuté[1]. Une politique étrangère exige plus que la fureur de l'offensé.

Ce qui n'est qu'implicite dans *Billy Budd* est clairement exprimé dans le *Benito Cereno* de Melville. Le protagoniste américain de la nouvelle est Amasa Delano, capitaine de baleinier. Son affrontement avec de vils étrangers sur un navire battant faux pavillon – non seulement il s'agit d'un vaisseau négrier, mais en outre il est en proie à une mutinerie atroce bien que vertueuse – a les accents de la piété américaine : l'incompréhension de l'homme vertueux confronté à l'ignominie. Car, tout en

1. Les lecteurs se rappelleront que le Billy de Melville, muet de rage devant la malveillance et le double jeu de Claggart, lui décoche un coup vertueux et fatal – amenant le capitaine du navire, à son corps défendant, à condamner Billy à mort pour son crime compréhensible mais néanmoins capital.

étant de tempérament plus pondéré et plus réservé, le capitaine Delano incarne encore plus que Billy Budd une innocence américaine si hermétique au mal qu'elle semble l'être tout autant à l'esclavage et à la rébellion contre les chaînes[1].

Bien que Melville ne le reconnaisse pas explicitement, le plus remarquable dans l'aveuglement du capitaine Delano face au mal est son incapacité à reconnaître la débâcle morale qu'illustre l'esclavage en soi. Sa réaction fait sûrement enrager ceux qui connaissent assez les hommes pour comprendre à la fois la pulsion de l'asservissement et celle de s'en libérer – un peu, peut-être, comme le tiers monde enrage aujourd'hui quand l'Amérique se vante de sa vertu morale et de la supériorité de son gouvernement ; comme les Vietnamiens enragent quand l'Alden Pyle d'*Un Américain bien tranquille,* de Graham Greene, projette avec insouciance de les libérer des Français et de leur propre culture.

---

1. Dans *Benito Cereno*, Delano intercepte un bateau négrier espagnol faisant cap sur le Nouveau Monde, dont la « cargaison » s'est emparée de l'équipage. Arraisonné par les hommes de Delano, le chef des révoltés, un héros audacieux et lettré qui gouverne le bâtiment à la suite du succès de la mutinerie, prétend être un subalterne du capitaine espagnol. L'innocence américaine de Delano est si impénétrable à tout qu'il est incapable de prendre la mesure d'une situation pourtant limpide. Il voit dans la relation de deux protagonistes fondée sur la supercherie et les faux-semblants un « spectacle de fidélité pour l'un, de confiance pour l'autre ». Delano, écrit Melville, était quelqu'un « d'un naturel singulièrement bon et peu méfiant, peu enclin [...] à s'alarmer tout seul, dès qu'il s'agissait de porter une accusation de malignité envers autrui » (Herman Melville, *Benito Cereno*, trad. Jean-Pierre Naugrette, Paris, Flammarion, 1991, p. 78, 62). Comme Billy Budd, il peut à peine comprendre le mal même lorsqu'il le regarde au fond des yeux.

Ce qui préoccupe ce Delano si sûr de lui est la mutinerie des esclaves, non leur statut de cargaison humaine devant être livrée à la servitude dans le Nouveau Monde. Melville absout le capitaine yankee (à la différence, présume-t-on, des esclaves à bord du négrier) au vu des « manigances et duperies » qu'il ne peut mesurer, incapable qu'il est de juger « la conduite de quelqu'un dont il ne connaît point le secret de la condition ». Il s'agit toutefois du secret de l'ignominie de l'esclavage plutôt que de la révolte des esclaves – le secret inaccessible à l'imagination américaine (avant que Lincoln règle le problème à Gettysburg) qui permit à l'Amérique de maudire la guerre de Sécession bien plus que l'esclavage, qui en fut pourtant le pivot. Le capitaine Delano paraissait donc maudire la mutinerie des esclaves plus que leur esclavage – tout en comprenant intuitivement qu'il existait un lien entre les deux. Melville dévoile (et il le fera encore) l'hypocrisie destructrice avec laquelle les Américains célèbrent présomptueusement une vertu hypothétique qui travestit en réalité l'aveuglement moral et apparaît donc aux autres comme, sinon de la vilenie, du moins du cynisme.

Le capitaine Delano devient le parfait emblème de l'innocence américaine : l'hypocrite-naïf, indifférent aux antiques corruptions de terres étrangères titubant sous le poids d'histoires de despotisme, mais aussi aux maux incrustés au cœur même de l'Amérique (c'est pour servir la culture esclavagiste de l'Amérique que le négrier a pris la mer), et fort d'une certitude unique : le mal est étranger, la vertu est américaine. Pour Delano, les bienfaits de la liberté seront garantis non par un décapage interne, mais par la tenue à distance des ennemis externes.

Le mythe de l'innocence dont s'est emparé Melville a persisté durant tout le XXe siècle et perdure dans le nouveau millénaire, où il colore et concourt à expliquer la nouvelle doctrine de guerre préventive de l'administration Bush. Pendant une bonne partie du XIXe siècle et le premier tiers du XXe, ce mythe a enfanté une politique étrangère isolationniste en vertu de laquelle l'Amérique n'est entrée dans les guerres corrompues de l'Europe qu'après y avoir été contrainte – à contrecœur dans la Première Guerre mondiale, et seulement parce qu'une attaque surprise de l'ennemi l'y a obligée dans la Seconde[1]. Or cet isolationnisme ne relevait pas alors, et pas davantage aujourd'hui, du simple chauvinisme ou d'un égoïsme étriqué. Il représentait la conviction de l'Amérique que, pour rester pure, elle devait se garder des engagements hors de ses frontières ; que sa politique étrangère ne pouvait épouser de vils intérêts comme l'Europe l'avait prétendument toujours fait, mais devait être conduite au nom de valeurs panaméricaines telles que la démocratie, la liberté et la piété.

Dans sa conférence *Le Savant et le politique*, aujourd'hui un classique, le grand sociologue allemand Max Weber dressait un portrait peu rassurant du véritable univers de la politique : « Le monde est gouverné par des démons, et qui entre en politique [...] passe un contrat avec des pouvoirs diaboliques. » Les Américains, vivant dans ce qu'ils considéraient comme un second éden, semblaient vraiment convaincus que la seule façon de se protéger de ces démons terrifiants consistait à se couper du monde, à rester à l'écart de sa politique préjudiciable et imbibée de sang. Une fois accordés à la géographie

1. La participation de l'Amérique aux guerres de l'Europe fut si tributaire de la provocation que la thèse absurde selon laquelle Roosevelt aurait manigancé Pearl Harbor (en ne tenant aucun compte des mises en garde) revient avec la régularité de vieilles lunes chez les partisans inconditionnels de l'isolationnisme.

naguère dominante des États-Unis et aux intérêts distincts de l'Europe et de l'Amérique, ces robustes mythes d'indépendance et d'innocence servirent la croissance et l'essor américains pendant plusieurs siècles.

Or, dans un monde où les océans sont de simples flaques d'eau et les frontières nationales souveraines des tracés archaïques sur de vieilles cartes, les réalités quotidiennes de l'interdépendance contredisent partout la notion d'autonomie souveraine. Elles exigent qu'on prête attention aux revendications des autres. Elles jettent sur l'obsession de la piété et de la vertu le manteau d'une indépendance souveraine non seulement inadéquate, mais corrompant le besoin et la capacité de trancher résolument entre des maux concurrents. Paradoxalement, une Amérique qui se croit innocente au point de devoir se préserver du reste du monde en assumant une redoutable solitude – ou qui transforme ce monde en lui imposant une redoutable hégémonie – met gravement en péril non seulement le monde, mais elle-même. C'est peut-être pourquoi le censeur le plus sévère de l'Amérique est aujourd'hui l'Europe ; elle a appris à la dure les leçons de l'interdépendance, au prix de deux guerres mondiales qui n'ont pas seulement détruit l'orgueil nationaliste de ses États membres, mais le sens même de leur souveraineté tant prisée. À en croire Robert Kagan, l'Europe refuse de se rallier au puissant glaive américain parce qu'elle aurait perdu sa volonté et son courage, et qu'elle assumerait le rôle d'une Vénus insouciante et féminine face au Mars américain combatif[1]. Le commentateur du *New York Times* Tom Friedman, commençant à se lasser de la voix prudente,

1. Robert Kagan, *Of Paradise and Power : America and Europe in the New World Order*, New York, Alfred A. Knopf, 2003 ; en français : *La Puissance et la Faiblesse. Les États-Unis et l'Europe dans le nouvel ordre mondial*, trad. Fortunato Israël, Paris, Plon, 2003.

irritante de l'Europe qu'il aimait naguère traduire à l'intention d'Américains exaspérés, rejoint aujourd'hui l'analyse de Kagan en dénonçant un « déficit de puissance béant », source de « toutes sortes de rancœurs, craintes et désaccords sur ce qui constitue l'exercice légitime de la force[1] ». Outre le fait que taxer l'Allemagne de faiblesse et de pacifisme semblera sûrement à la plupart des lecteurs de l'histoire européenne le plus beau compliment qu'on puisse lui faire, l'Allemagne et les Européens ont appris pour leur douleur que la guerre n'apporte jamais la sécurité collective et que les nations hégémoniques et fières de l'être, même quand elles prêchent la paix et la vertu, et peut-être surtout lorsqu'elles prêchent la paix et la vertu, risquent fort de devenir elles-mêmes le plus grave danger pour la paix. On ne sera donc pas surpris que dans un sondage (dénué de toute base scientifique) de *Time* réalisé en janvier 2003, où l'on demandait aux Européens quelles nations représentaient le plus grand risque pour la paix, l'Irak et la Corée du Nord se soient situés autour de 7-8 % chacun, tandis que les États-Unis affichaient un étonnant 80 %[2].

Le sentiment du caractère exceptionnel de l'Amérique a placé d'entrée de jeu la politique étrangère américaine sous le signe de l'idéalisme. Or des théoriciens comme Hans Morgenthau et des praticiens comme George Kennan et Henry Kissinger n'ont cessé de le souligner : cet idéalisme a été l'un des traits les plus gênants de la

1. Thomas L. Friedman, « Ah, those principled Europeans », *New York Times*, 2 février 2003, sect. 4, p. 15.

2. *Time Europe*, 6 février 2003. *Time* soulignait qu'il s'agissait d'une « enquête non scientifique et informelle destinée à intéresser et amuser les visiteurs de son site www.time.com et [qu'elle] ne représentait pas forcément l'opinion de la population ». D'autres sondages, toutefois, confirment les résultats de *Time*.

politique étrangère. Pourtant, malgré toutes les chicaneries des réalistes, l'Amérique n'a jamais douté de son caractère exceptionnel, et peu de présidents se sont abstenus de faire vibrer la corde sensible de la vertu américaine en expliquant à l'opinion le bien-fondé de leur stratégie internationale, en temps de guerre ou de paix. Les critiques adressées récemment à la religiosité du président Bush et à ses convictions de *born again* semblent avoir négligé ces annales de l'exception[1].

Depuis ses premières entreprises au Mexique avant la guerre de Sécession (que dénonça Abraham Lincoln, alors membre du Congrès, et dans lesquelles certains républicains virent une tactique des démocrates du Sud pour prolonger l'esclavage) jusqu'au Viêt-nam, l'Amérique a toujours réussi à tirer de son chapeau des mobiles idéalistes pour justifier des interventions difficilement assimilables à la légitime défense, et que les réalistes imputaient à l'intérêt personnel et à l'ambition. Ce fut vrai à Cuba et dans la campagne conduite par les États-Unis pour « libérer » les Philippines de la tutelle de l'Espagne (1898), au Mexique (1914), à Haïti (1915), en République dominicaine (en 1916, puis de nouveau en 1965) et à Grenade (1983). Ces interventions tenaient aux vertus du caractère exceptionnel de l'Amérique – à sa volonté d'étendre le rayonnement de la liberté, d'ouvrir des marchés à ses partenaires commerciaux, d'apporter la démocratie au monde entier.

William James voyait dans ces prétentions à l'exception une hypocrisie fatidique, sinon toujours fatale :

---

1. Voir, par exemple, le dossier de *Newsweek*, « Bush and God », 10 mars 2003, ou « God and American diplomacy », *The Economist*, 6 février 2003. Jimmy Carter fut en fait le premier président *born again*.

« Nous nous étions crus (avec toute notre nature fruste et brutale à certains égards) une nation moralement supérieure aux autres, en sécurité chez nous, dénués de toute ambition primitive et brutale, destinés à exercer une grande influence internationale en interposant notre "poids moral". [...] Des rêves ! La nature humaine est partout la même ; et, à la moindre tentation, toutes les vieilles passions militaires se réveillent et balaient tout sur leur passage[1]. »

Les références à la bonne volonté et à l'innocence surnaturelle de l'Amérique ne plaçaient pas seulement ses mobiles au-delà de l'intérêt, mais l'exonéraient de tout examen critique. La vertu avait bon dos, justifiant encore et toujours le fondement de sa conduite : « Nous sommes allés au Mexique, claironnait le président Wilson, pour protéger la démocratie. » La Première Guerre mondiale, tout comme la Société des Nations, viseraient le même but. La mère des guerres modernes fut aussi celle qui devait mettre fin à la guerre. La Seconde Guerre mondiale vengea Pearl Harbor et libéra l'Europe et l'Asie d'un « axe du mal » plus ancien et plus puissant. Le Viêt-nam attira l'Amérique, comme les présidents Kennedy, Johnson et Nixon en convinrent tous, parce qu'il représentait en Asie du Sud-Est un domino potentiel qui, s'il tombait, aurait entraîné dans sa chute les nations voisines, ouvrant la voie au triomphe

1. William James, dans une citation reproduite dans *The Nation*, 23 décembre 2002. Des théoriciens comme Lord Acton (« Une nation n'a ni amis permanents ni ennemis permanents, seulement des intérêts permanents »), Henry Morgenthau, E.H. Carr et George Kennan, pour ne citer qu'eux, estimaient avec réalisme que les considérations moralisatrices n'avaient pas leur place dans la politique étrangère.

du communisme totalitaire. (Invoquée pour justifier l'intervention, la théorie des dominos glissa peu à peu vers celle de la guerre préventive.) La guerre froide représenta une opération provisoire à long terme contre un « empire du mal ».

Comme les réalistes américains, les sceptiques de l'étranger décèlent derrière chaque idéaliste l'expression ou l'évocation de quelque intérêt secret de la divine Providence : dans la doctrine de Monroe (« Europe, ne t'approche pas de mon arrière-cour ! »), un prétexte à l'établissement d'un empire sur tout le continent américain ; dans l'isolationnisme (« Pas d'alliances avec l'étranger ! »), le souci de ne pas supporter les coûts considérables des engagements et des traités ; et dans l'« interventionnisme démocratique » – qui justifia notamment la marche en avant, sous McKinley et Teddy Roosevelt[1], vers un empire aux Caraïbes et dans le Pacifique, et qui inspira l'engagement de Woodrow Wilson au Mexique et en Europe – (« Un monde sûr pour la démocratie ! »), la raison d'être d'ambitions mondiales. Mais la plupart des Américains, mobilisés par le caractère exceptionnel de leur pays, crurent que ces mêmes doctrines – préconisant une Amérique retranchée dans sa forteresse et qui restait chez elle, ou une Amérique agressive qui chevauchait la planète – s'enraci-

1. « Des actions préjudiciables chroniques [...] peuvent finalement exiger, en Amérique comme ailleurs, l'intervention d'une nation civilisée ; et sur le continent américain les États-Unis, du fait de leur adhésion à la doctrine de Monroe, peuvent être amenés, même contre leur gré, dans des cas flagrants d'agissements de cette nature ou d'impuissance, à exercer un pouvoir international de police » (Theodore Roosevelt, « The Roosevelt corollary to the Monroe Doctrine », 1904).

naient dans la vertu et étaient justifiées par l'« honnêteté » foncière des États-Unis et leur engagement envers la démocratie libérale. Pendant sa campagne pour persuader les Américains mais aussi les Nations unies de s'embarquer dans une guerre contre l'Irak, le président Bush rappelait ainsi à qui voulait l'entendre que « l'Amérique est la plus grande nation, peuplée des gens les plus honnêtes sur la face de la terre[1] ».

Les justifications morales satisferont les attentes de l'Amérique quant à son rôle exceptionnel. Nul ne s'émut quand le président Bush déclara à West Point : « Certains craignent qu'il ne soit peu diplomatique ou discourtois de parler le langage du bien ou du mal. Je ne suis pas d'accord. Des contextes différents exigent des méthodes différentes, mais pas des principes moraux différents[2]. » Malheureusement, le langage de l'absolutisme moral rend presque impossible de résoudre un conflit international par la négociation.

Le discours moralisateur du président Bush en termes de bien et de mal dans la campagne contre le terrorisme n'a rien de nouveau. De la Déclaration d'indépendance à l'« axe du mal », les dirigeants américains ont conçu les intérêts américains en termes de vertu universelle. À un certain degré, même la Déclaration d'indépendance censura en permanence la *Realpolitik* ainsi que la poli-

1. Cité par David E. Sanger, « Bush juggles the roles of leader and cheerleader », *New York Times*, 28 octobre 2002, p. A15.

2. George W. Bush, « Remarks by the President, 2002 Graduation Exercise of the United States Military Academy », West Point, État de New York, 1er juin 2002. Ce texte figure en épigraphe de la section II, « Champion aspirations for human dignity », de la National Security Strategy of the United States of America [« La dignité humaine » dans la traduction française, où il est absent. *(NdT)*].

tique d'équilibre des forces qui définissait les intérêts des États-nations concurrents de l'Europe. La Déclaration américaine entendait affirmer le droit des treize colonies à faire tous les « actes ou choses que les États indépendants ont droit de faire », notamment leur « pleine autorité de faire la guerre », en plaçant leur confiance dans la « protection de la divine Providence ». Même le célèbre paragraphe du préambule, dans lequel Jefferson mentionne le besoin de démontrer « le respect dû à l'opinion de l'humanité », s'inscrit dans l'exposé logique des « causes qui déterminent [les colonies] à la séparation ». Autrement dit, le respect de l'opinion de l'humanité n'exige pas que l'Amérique se conforme à ce que l'humanité veut qu'elle fasse, mais a pour seule fonction d'expliquer à l'humanité pourquoi elle fait précisément ce qu'elle veut faire.

L'Amérique a toujours expliqué depuis lors les décisions (souvent) unilatérales de sa politique étrangère, en termes de droits naturels, de vertu américaine et de divine Providence. Le « Dieu bénisse l'Amérique » par lequel tous les hommes politiques américains terminent leurs discours importants, surtout ceux qui ont trait à la guerre et à la paix, fait office d'invocation et d'appel : « Américains, mes frères, les États-Unis agissent au nom de Dieu ! », et : « Ô mon Dieu, faites qu'il en soit ainsi ! » Comme leur grand ancêtre protestant Martin Luther, les États-Unis affirment solennellement n'être obligés que par leur seule conscience : « C'est notre fonction, et nous n'y pouvons rien. »

Le caractère exceptionnel de l'Amérique offre ainsi des arguments spéciaux pour expliquer à la fois l'isolationnisme qui a tenté de la couper du tumulte du monde et l'interventionnisme qui l'a propulsée au cœur même de ce monde. Une politique étrangère américaine idéaliste prend son bâton de pèlerin au nom des vertus nationales et refait le monde à sa propre image non parce qu'elle veut le dominer, mais parce qu'elle ne peut (croit-elle) être en sécurité que dans un monde à son image. L'isolationnisme – tradition plus ancienne et plus conservatrice – n'en épouse pas moins l'idée de la vertu américaine, mais avec l'espoir qu'une doctrine d'indépendance garantie par la géographie et les armes (deux océans au XIXe siècle, un bouclier antimissiles balistiques au XXIe) assurera à la vertu la protection qu'elle exige. Il paraîtra étrange qu'une politique visant à isoler et à couper l'Amérique du monde et une politique d'intervention agressive dans le monde découlent d'une seule et même idée. Or le souci de faire un monde sûr pour la démocratie s'est traduit trop aisément par le désir de protéger l'Amérique contre le monde et d'assurer son hégémonie dans le monde. Dans les deux cas, l'Amérique préfère ne pas « s'en mêler » ni trop bien connaître le monde.

Le président Bush reprend donc deux siècles de rhétorique américaine lorsqu'il tonne aujourd'hui contre l'« axe du mal », préconisant une guerre à l'échelle de la planète contre les « agents du mal » au nom de « la plus grande nation, peuplée des gens les plus honnêtes sur la face de la terre », dont toutes les actions doivent être considérées comme celles non de « conquérants » mais de « libérateurs »[1]. Les amis et alliés de l'Amérique risquent d'être effarés par le pharisaïsme de ce discours

1. « J'étais sensible, déclarait le président Bush dans son entretien avec Bob Woodward, à cette [accusation] de guerre religieuse et d'esprit conquérant des États-Unis. Je voulais qu'on nous voie comme des libérateurs » (*Bush s'en va-t-en guerre*, *op. cit.*, p. 150).

de prédicateur enragé. Mais pour qui connaît l'Amérique et ses écrits moralisateurs et a été témoin des répercussions de sa morale sur sa politique, ce discours a les accents puritains, « exceptionnalistes » et moralisateurs américains, exaspérants mais familiers. Bush a peut-être sur les hanches les six-coups de Gary Cooper en shérif du *Train sifflera trois fois*, mais aussi la Bible méthodiste sous un bras et la Déclaration d'indépendance sous l'autre. Pas étonnant qu'il soit convaincu – et la nation avec lui – que l'Amérique châtiera les impies et, quel que soit le temps qu'il faudra, sortira victorieuse de sa guerre contre les agents du mal, seule au besoin.

Ce genre de discours sait mobiliser l'opinion intérieure et l'amener à soutenir des guerres à l'étranger qui la rebuteraient peut-être sans cela. Mais il est aussi plus satisfaisant, et parfois plus adéquat, que le langage du sceptique invoquant le simple intérêt national. Après tout, il y avait, au minimum, une certaine vindicte outrecuidante chez les agresseurs impériaux de la Première Guerre mondiale, et l'alliance formée par les protagonistes germano-italo-nippons de la Seconde Guerre mondiale permit sans nul doute aux États-Unis de poser l'existence non pas simplement d'un « Axe » (comme on l'appelait), mais d'un « axe du mal ». Aujourd'hui, quel penseur irait nier que le mal est à l'œuvre dans les machinations de terroristes nihilistes ? Or ces derniers sont loin d'être les seuls fauteurs de mal de la planète, et le terrorisme n'est pas une semence mutante cultivée dans la propre serre du diable. Il résulte d'idéologies toxiques et de fanatisme religieux, ainsi que d'un contexte historique auquel les États-Unis, compte tenu de leur extraordinaire puissance militaire, économique et culturelle, ont contribué dans une certaine mesure – par inadvertance ou par ambition impérialiste explicite, ou encore, plus probablement, par une combinaison gênante des deux. Il y a quelque chose de tout aussi gênant dans le parallélisme entre le discours d'Al-Qaida, décrivant l'Amérique comme une nation d'infidèles qui exécute l'œuvre du diable, et l'Amérique recourant au même langage biblique pour condamner une Al-Qaida conduite par les agents du mal (même si ceux-ci sont *vraiment* maléfiques).

Le terrorisme peut justifier le discours de dénonciation morale du président, mais sa logique exige aussi un discours en retour sur la responsabilité morale. Les agents du terrorisme s'entraînent dans l'Afghanistan des talibans et se réclament de la vengeance d'Allah, mais leurs admirateurs démunis vivent dans les taudis de Karachi et de la bande de Gaza, et en sont réduits à chercher une consolation dans le « martyre » de leurs propres enfants. S'il est dit que les premiers seront vaincus, les seconds devront pouvoir prendre en main leur destin. Désarmer la garde républicaine irakienne ne fait pas grand-chose en soi pour donner des moyens d'action aux sujets de Saddam Hussein à Bagdad, sans même parler de sauver du désespoir les enfants de Palestine.

Le mythe de l'innocence évite néanmoins à l'Amérique le pesant fardeau de la responsabilité historique de la guerre, de l'anarchie, de l'injustice ou de la conquête. Une guerre contre les talibans détourne l'attention des bidonvilles de Gaza ou des réfugiés en colère de Karachi. Or la protection rapprochée que lui assurent ses idéaux contre les points de vue cyniques de l'étranger risque de cacher à l'Amérique des solutions peut-être plus efficaces que celles qu'elle a déjà appliquées. S'ils écoutaient non pas quelque extrémiste du Baas en Syrie, mais les paroles maternelles de l'Anglaise Frances Trollope (s'adressant à la militante sociale américaine Fanny Wright en 1825), les Américains s'entendraient ainsi sermonner : « S'ils étaient aussi fervents patriotes qu'ils le prétendent, les citoyens des États-Unis ne se mureraient sûrement pas dans la conviction opiniâtre, stérile et cruelle qu'ils sont les premiers et les meilleurs de la race humaine, qu'il n'y a rien à apprendre qu'ils ne soient à même d'enseigner, ni rien à ambitionner qu'ils ne possèdent[1]. »

En se séparant du monde étranger des fauteurs de mal, ou en les soumettant vertueusement à des représailles militaires, l'Amérique se détourne des questions de causalité et de contexte. Affirmer que les États-Unis ne recherchent que la vertu là où les autres recherchent purement et simplement leurs intérêts prive l'Amérique de tout réalisme dans la poursuite de ses buts. Le regard fixé sur ses vertus, elle en oublie trop souvent ses intérêts à elle. Soucieuse de bien faire, elle échoue parfois à bien servir l'intérêt des autres ou le sien.

Non que l'Amérique n'ait pas enregistré de succès, soit retranchée dans sa forteresse (jamais aussi isolée qu'elle l'affirmait), soit en qualité de gendarme du monde (jamais aussi sévère que ses ennemis le prétendaient). Walter Russell Mead écrit très justement que, comparée « au sombre passé des autres grandes puissances, la politique étrangère américaine [...] paraît relativement bonne[2] ». Mais, pour une nation d'une telle puissance dans un monde où elle n'a pas d'égale, « relativement bonne » ne suffit peut-être pas. Walter Russell Mead lui-même voit le danger d'« entreprises excessives » susceptibles d'avoir des conséquences plus désastreuses que par le passé, et il reconnaît

1. Cité par Simon Schama, « The unloved American : Two centuries of alienating Europe », *The New Yorker*, 10 mars 2003.

2. Mead, *Special Providence*, *op. cit.*, p. 11.

(cela avant le 11 Septembre) que les efforts de l'Amérique pour entretenir une relation adéquate avec le nouvel ordre mondial battent de l'aile[1]. Cela est d'autant plus vrai dans un monde interdépendant où il est presque impossible aux puissants de ne pas en faire trop, mais où, grâce au caractère exceptionnel de l'Amérique, l'empire américain a été acquis dans « un état de profond déni[2] ».

La persistance de tendances isolationnistes à l'ère de l'interdépendance mondiale est particulièrement flagrante dans le désir de l'Amérique de se doter d'un bouclier antimissile – vestige émouvant du mythe de l'innocence appliqué à un but stratégique que ne garantit pas la technologie. Le président Ronald Reagan, porte-parole aussi éloquent, à la fin de sa carrière, de l'innocence et du caractère foncièrement bon de la nation qu'il l'avait été de General Electric à ses débuts, fut le premier à rêver du cocon technologique que la « guerre des étoiles » était censée tisser. De même que les deux océans avaient naguère tenu l'Amérique à distance de la corruption du monde, la technologie devait enclore le peuple américain dans une bulle magique que les nouveaux scélérats de l'étranger – l'« empire du mal » du communisme pour lui, les États voyous et les terroristes fourbes pour ses successeurs et pour le président Bush aujourd'hui – ne pour-

1. *Ibid.*, p. 331, 332-334.

2. Ignatieff, « The burden », art. cité. L'emploi que fait Ignatieff du vieux terme « empire » pour qualifier la nouvelle hégémonie de l'Amérique dans un monde où elle n'a pas de rivaux est à mon sens peu éclairant, voire trompeur, d'autant qu'il reconnaît (comme je le montre ici) que, « malgré sa puissance militaire écrasante », l'Amérique « demeure vulnérable », puisque ses ennemis ne sont pas des États « sensibles à la dissuasion, à l'influence et à la contrainte, mais une obscure nébuleuse de fanatiques qui ont prouvé qu'ils ne pouvaient être ni dissuadés ni contraints ».

raient percer. Qu'importe que les ennemis diaboliques de l'Amérique risquent davantage d'employer des armes biologiques ou chimiques, de transporter des bombes sales dans des conteneurs, de répandre des produits toxiques depuis un monomoteur Cessna utilisé pour la pulvérisation des cultures ou de s'armer de simples cutters ! Qu'importe que les scientifiques soutiennent avec la même unanimité que le système ne peut pas fonctionner ! Après tout, même les essais effectués dans des conditions idéales peu susceptibles de se reproduire en temps de guerre n'ont pas réussi à atteindre les objectifs[1]. Qu'importe, en effet, car le bouclier est autant une métaphore qu'un système d'armement. Tout comme les fouilles omniprésentes dans les aéroports et les vieilles dames privées de leurs chaussures signalaient le durcissement de la résistance américaine contre la terreur dans la période qui a précédé la guerre contre l'Irak, le bouclier antimissile était là pour la parade plus que pour l'action, important pour ce qu'il disait aux Américains au sujet de

1. Ces essais ont opposé un missile antibalistique à une ogive unique (« une balle essayant d'intercepter une balle ») avec tout au plus un seul leurre ; mais dans la réalité un agresseur arrivera avec de multiples missiles entourés de multiples leurres (peu coûteux), rendant l'interception infiniment plus problématique qu'elle ne l'est déjà, ou utilisera des vecteurs conventionnels, comme des avions ou des bateaux. Toutefois, ces arguments ne sont pas d'un grand secours pour réfuter ce qui relève plus, somme toute, d'une théologie que d'une doctrine de défense stratégique. Pour un exposé complet de la polémique sur l'efficacité de la défense antimissile, voir les travaux en cours du professeur Theodore A. Postol, du MIT, qui a lancé une campagne en solitaire contre ce qu'il démontre être les défauts techniques fondamentaux du système antimissile et des études du MIT à ce sujet. Voir, par exemple, William J. Broad, « MIT studies accusations of lies and cover-up of serious flaw in antimissile system », *New York Times*, 2 janvier 2003, p. A13.

l'Amérique (pas question qu'elle se laisse bousculer par des terroristes !), non pour ce qu'il faisait aux terroristes et aux États voyous (entraver leur mobilité, intercepter leurs missiles). Et donc, en décembre 2002, quand bien même le programme ne répondait pas aux critères définis par de maigres essais, le président Bush a ordonné la mise en place de la première phase du bouclier antimissiles balistiques – à un coût qui suffirait à financer un plan Marshall pour le monde musulman.

La notion d'une technologie américaine enracinée dans un savoir-faire américain qui protège le bien du mal, l'innocence de la corruption, l'éden des terres en ébullition situées à l'est d'Éden, cette notion, donc, exerce un profond attrait sur une Amérique férue de son caractère exceptionnel. Quelque part dans ces strates souterraines, le capitaine Amasa Delano est toujours vivant, oublieux du cœur des ténèbres dans lequel – le reste du monde en convient – végète tout le genre humain. Cette Amérique voit dans la technologie elle-même le prolongement de sa nature pragmatique et de son union indissoluble avec le progrès : une nation de citoyens dynamiques qui ne rechignent pas à la besogne, motivés par une puissante combinaison de pragmatisme et de zèle religieux. Ce peuple-là peut opposer un visage incompréhensif au mal présumé, aveugle aux enseignements du simple intérêt national, sûr de sa propre vertu et donc intolérant à la complexité. L'éclat vibrant du rouge, blanc, bleu rend le gris difficilement perceptible. Et c'est ainsi que l'Amérique de l'après-11 Septembre – terrible leçon de réalisme s'il en fut –, l'Amérique de l'après-Afghanistan et de l'après-Irak, reste à bien des égards non seulement l'Amérique du bien et de la vertu, mais aussi l'Amérique de l'innocence.

3

La guerre de tous contre tous

La vie humaine [à l'état de nature] est solitaire,
misérable, dangereuse, animale et brève.
Thomas HOBBES, 1651[1].

Il se peut qu'à un moment donné nous restions seuls.
C'est OK pour moi. Nous sommes l'Amérique.
George W. BUSH, 2002.

Si l'Amérique ne peut plus se couper de la planète, disent les aigles, alors elle doit la diriger. Si la souveraineté américaine se voit compromise à l'intérieur de ses frontières par une nouvelle interdépendance qui défie les frontières internes, les frontières de l'Amérique doivent être élargies pour absorber et assimiler les régions présentant un danger pour les États-Unis. Vous nous rejoignez sous le manteau protecteur ou vous êtes détruits. En décrivant la nouvelle tactique qui consiste à débusquer les navires de commerce susceptibles d'être liés au terrorisme, Frances Fragos-Townsend, chef des services de renseignement des gardes-côtes américains, faisait observer : « Si vous vous contentez d'attendre que les bateaux arrivent, vous ne faites pas votre boulot ; il

1. *Léviathan*, 1re partie, chap. 13 [trad. Gérard Mairet (*NdT*)].

s'agit en fait de repousser les frontières[1]. » Si le monde est devenu trop petit pour que l'Amérique défende dans l'isolement ses droits universels, alors l'Amérique doit devenir une présence universelle : la *pax americana*, CQFD.

Telle est la logique imparable de la détermination du président Bush à instaurer une hégémonie tous azimuts. Le changement de régime en Irak ne suffisait pas. Il ne s'agit pas simplement de débarrasser la région d'un tyran brutal, mais d'amener l'Irak et le Moyen-Orient à l'intérieur des frontières de l'Amérique au moyen d'une sorte d'américanisation utopique camouflée en démocratisation. Certains y voient le *nation building*, la « construction de la nation » à long terme que le président Bush condamnait expressément lors de sa campagne électorale antérieure au 11 Septembre ; d'autres, l'édification d'un empire. La stratégie des dominos inversée, comme on l'appelle, voit dans la « démocratisation » désirée de l'Irak la première de nombreuses victoires de la démocratie, les pays tombant l'un après l'autre – avec l'aide des chars M-1 et des bombardiers F-18 – dans l'orbite américaine.

Pris au sérieux (comme les esprits réalistes se refusent en général à le faire), l'appel à la démocratisation en tant que raison d'être de la *pax americana* en Irak et ailleurs peut amener les libéraux à embarquer sur le bateau de guerre du président Bush. Les idéalistes libéraux modérés, comme Michael Walzer, Paul Berman et Tom Friedman, se sont ralliés à une guerre contre l'Irak avec laquelle ils étaient manifestement en délicatesse parce

1. Cité par John Mintz, « 15 freighters believed to be linked to Al Qaeda », *Washington Post*, 31 décembre 2002, p. A1.

qu'elle entendait apporter aux Irakiens les droits que la Déclaration d'indépendance promet à tous. Si l'ensemble du genre humain partageait la logique de liberté qui a défini la nation américaine, alors la guerre pourrait peut-être redevenir l'instrument de la liberté, comme en 1776. La question de savoir si la guerre permet d'acquérir la liberté ou la sécurité à l'ère de la terreur se situait indiscutablement au cœur du débat sur l'Irak. Or, voir dans la guerre préventive un instrument de démocratie est se méprendre tant sur les conséquences d'une guerre d'agression que sur les exigences de la mise en place de la démocratie et de son expansion.

La *pax americana* soulève néanmoins un problème : si elle étend la logique de la Déclaration d'indépendance en repoussant les frontières de l'Amérique, elle se méprend sur cette logique. Car la Déclaration d'indépendance, grâce à laquelle l'Amérique faisait une expérience nouvelle et autonome du constitutionnalisme démocratique, était aussi une expression d'interdépendance – un contrat social établi par la volonté commune de ses éléments constituants.

Dans la philosophie politique de l'Occident, sur laquelle repose la construction européenne et américaine de la nation, le contrat social présuppose une entente entre des individus qui, de fait, abandonnent leur interdépendance « naturelle » telle qu'elle s'applique à chacun d'eux dans un « état de nature » présumé, en faveur d'une communauté de buts qui leur permet de créer une nation. Libres par nature (d'où l'invocation par Jefferson des droits naturels auxquels le genre humain revient lorsque les liens étatiques sont dissous), les citoyens ne se voient néanmoins garantir leur liberté que s'ils sont gouvernés. Le contrat social enveloppe de chair le squelette des droits naturels et muscle l'idée de liberté. Libres en théorie, à l'état de nature, d'agir selon nos choix, nous sommes exposés à la liberté des autres d'agir selon les leurs – ce qui place tout le monde dans un état d'insécurité permanente. L'anarchie mondiale d'aujourd'hui, où le terrorisme et la criminalité prospèrent et où le capitalisme de marché échappe aux entraves de la vigilance démocratique, présente une extraordinaire ressemblance avec l'état de nature que les premières théories du contrat social posaient comme hypothèse.

Les philosophes des XVIIe et XVIIIe siècles assimilaient l'état de nature à l'histoire présumée de la race humaine et s'en servaient pour expliquer et légitimer la fondation de communautés souveraines garanties par le droit et fondées sur la volonté du peuple. Plus que John Locke (que nous connaissons mieux), Thomas Hobbes comprit la peur inhérente à l'état de nature supposé qui rendait si urgent de fuir ses conflits douloureux. Dans la description qu'il en fait dans son grand œuvre, *Léviathan* (publié dans le sillage des guerres civiles anglaises), l'état de nature se caractérisait par une absence totale d'institutions politiques et de conventions sociales. Il était, au sens littéral, un état d'anarchie – comme le monde d'aujourd'hui –, sans gouvernement ni droit. Ce portrait peu romantique de l'état de nature vaut à Hobbes d'être souvent cité comme synonyme d'anarchie, et ses remèdes passent pour un appel à la force brute. C'est exactement la lecture erronée qu'en fait Robert Kagan lorsqu'il veut nous persuader que l'Europe vit dans un « monde kantien » fondé sur une prétendue paix perpétuelle, tandis que l'Amérique se sent chez elle dans des environnements plus rudes régis par « les lois brutales d'un monde anarchique hobbesien où la puissance est la condition ultime de la sécurité nationale et de la réussite[1] ». Mais Kagan comprend Hobbes à l'envers. Du fait de son anarchie ignorant toute loi, l'état de nature est pour Hobbes surtout un état de peur – d'anxiété constante et de guerre incessante, où la violence et le conflit condensent plus ou moins toute la condition humaine. Le remède n'est pas la force, que les hommes possèdent à l'état de nature, mais les lois et les contrats dont ils sont dépourvus.

On a émis l'idée que Hobbes recourut à ce portrait hypothétique d'une « condition naturelle » au moins en partie pour décrire l'Angleterre du XVIIe siècle pendant les périodes de guerres civiles (des Stuarts et des puritains) propices à l'anarchie. Il mit en théorie et postulats des situations dont il avait été témoin – anarchie, licence, affranchissement des lois, peur et incertitude. Dans la fameuse et rude description qu'en donne Hobbes, c'est une condition « de crainte continuelle, et de risque de mort violente ; et la vie humaine [est] solitaire, misérable, dangereuse, animale et brève », mais la politique cherche quant à elle à s'en extraire dès qu'un pacte peut être scellé. Rien ne vient racheter l'anarchie de l'état de nature : c'est une condition naturelle sans lois, où n'existent ni gouvernants, ni accords, ni contrats, donc pas de propriété, ni échanges commerciaux volontaires autres que ceux négociés par la force et la fourberie.

Pour Hobbes, cette anarchie a dicté la nécessité de la politique et la formulation indispensable du droit. Loin de préserver les hommes, la « force » et la « fourberie » qui régissaient l'état de nature les ont détruits. Inspirant, toujours selon Hobbes, le profond désir d'un gouvernement organisé, elles ont fait de lui un prophète de la

1. Kagan, *La Puissance et la Faiblesse*, *op. cit.*, p. 61.

souveraineté fondée sur le consentement. Être fidèle au langage de Hobbes, c'est reconnaître que, même si l'Amérique et ses bruits de sabre procèdent de Mars, Mars s'inscrit très exactement en faux contre l'état de nature. Sa confiance dans la force est un élément du problème. L'Europe pacifiste de Kagan, même procédant de Vénus, constitue la clé de la solution de Hobbes, à savoir renoncer à l'action privée et à la force individuelle au nom d'une sécurité collective née du contrat social.

De la même façon qu'il restituait l'anarchie des guerres civiles anglaises en dépeignant la « condition naturelle » sous un jour si cru, Hobbes appréhende l'expérience que nous avons aujourd'hui d'un royaume international torturé par la violence terroriste et la désespérance du tiers monde, ainsi que la peur du monde industrialisé et l'incertitude qu'elles engendrent. Des gouvernements locaux faibles, la pauvreté et le fanatisme religieux entretiennent le désarroi ; les prédateurs internationaux, qu'il s'agisse de spéculateurs financiers, de membres du cartel de la drogue ou de terroristes enragés, instaurent un climat de peur permanent chez des milliards d'individus dans le monde, incapables qu'ils sont de prendre en main leur destin, aussi terrifiés par leurs propres gouvernements et parfois leurs propres voisins que par des superpuissances lointaines dont la splendeur et l'hégémonie les effraient. Le terrorisme s'est aujourd'hui déplacé du tiers monde au monde industrialisé, donnant à ceux qui, en Europe et en Amérique, ont vaincu l'anarchie à l'intérieur de leurs frontières une idée de ses sinistres gratifications dans l'univers sans frontières de l'interdépendance qui s'étend au-delà.

Là où l'anarchie était autrefois le sort des hommes et des femmes qui souffraient du non-droit et du désordre lorsque la royauté médiévale céda le pas à l'État-nation moderne, l'anarchie est aujourd'hui le sort de ceux qui souffrent du non-droit et du désordre de la planète. Inutile d'y chercher la démocratie ni d'ailleurs aucun gouvernement d'aucune sorte : c'est un état « de crainte continuelle et de risque de mort violente », non seulement pour les malheureux des ghettos du tiers monde, mais de plus en plus pour les occupants tremblants des banlieues résidentielles du monde industrialisé privilégié, obsédés par ce que leurs téléviseurs leur disent du sort que les terroristes leur réservent peut-être.

Robert Kagan et les aigles dont il se fait le porte-parole répondraient à la peur par la peur, s'appuyant sur la force et la fourberie pour gouverner l'anarchie de la nature. Or la peur est, par définition, la principale alliée du terrorisme ; elle vise précisément à attirer ses ennemis dans ce que Mark Juergensmeyer a appelé un « théâtre de la terreur » capable de les faire, littéralement, mourir d'épouvante[1]. Les terroristes ont mis au jour les noirs secrets de l'état de nature, à savoir que dans un monde régi par la peur et l'insécurité même les plus faibles peuvent tuer les plus forts ; que la peur de la mort peut se révéler plus invalidante que la mort elle-même ; et que

---

1. Juergensmeyer, *Terror in the Mind of God*, *op. cit.*, p. 119. L'ouvrage de Juergensmeyer propose des explications du terrorisme fondées sur l'idéologie religieuse et apporte un contrepoint utile aux thèses (comme la mienne) insistant sur la complexité dialectique de McWorld et de l'Occident dans la guerre que leur livre le terrorisme. Toutefois, comme l'avance Amy Chua dans son *World on Fire : How Exporting Free Market Democracy Breeds Ethnic Hatred and Global Instability*, New York, Doubleday, 2003, on peut aussi démontrer (comme j'ai essayé de le faire dans *Djihad versus McWorld*) que « l'extension mondiale des marchés et de la démocratie est une cause principale et aggravante de haine de groupe et de violence ethnique dans tout le monde non occidental » (p. 9).

pour vaincre l'insécurité les hommes seront tentés de renoncer à la liberté – à moins de découvrir une formule qui leur permette de répudier l'anarchie de la nature sans abdiquer leur liberté. Cette formule est le contrat social.

C'est seulement par le contrat social que l'humanité garantira sa liberté civique. À la différence de la liberté naturelle, qui est universelle dans son champ théorique mais étroitement limitée dans son application concrète, la liberté civique maintient durablement l'ordre public. Elle garantit le droit d'être en sécurité par le respect d'une *common law*, un droit coutumier, que les citoyens définissent ensemble : la liberté, écrit Jean-Jacques Rousseau, est l'obéissance à des règles que nous nous donnons nous-mêmes. Les individus délèguent à la liberté le droit naturel qu'ils détiennent parce que ce droit, également détenu par les autres, met tout le monde en danger. Ils adhèrent donc à un contrat social qui remplace la force et la fourberie par l'obéissance consensuelle et la légitimité démocratique. Pourquoi ? Parce que nous pouvons garantir à la fois la liberté et la sécurité par la coopération avec les autres, même si nous renonçons, ce faisant, à l'indépendance ingrate de la condition naturelle.

Le contrat social réfute en effet la logique de l'indépendance personnelle. Il remplace la déclaration d'indépendance personnelle de la nature (« Je suis libre et je peux faire ce que je veux ! ») par une nouvelle déclaration d'interdépendance (« Ma liberté personnelle n'a d'utilité que si je coopère avec les autres pour garantir une liberté et une sécurité communes pour tous »). Le contrat social renonçant à l'indépendance individuelle est la condition de cette déclaration d'indépendance « collective » ultérieure qui proclame l'existence autonome d'une nouvelle entité sociale souveraine : l'État-nation démocratique.

Les fondateurs de l'Amérique ayant posé que la logique de contrat social avait des implications universelles et s'étendait à l'ensemble de la planète, celle-ci a défini la base de travail essentielle de la politique étrangère américaine pendant la plus grande partie de son histoire et le postulat central de la politique américaine dans l'Europe et l'Asie de l'après-Seconde Guerre mondiale, depuis la fin de ce conflit jusqu'au 11 septembre 2001. Les deux grandes guerres du siècle dernier, ainsi que l'histoire sanglante de l'anarchie politique, économique et religieuse entre les nations qui les engendrèrent, convainquirent les États-Unis que seules des institutions internationales viables définies par des lois internationales applicables pourraient garantir et préserver la paix dans le monde.

En conséquence de cette logique, quand en 1945 (comme aujourd'hui) ils affirmèrent leur puissance hégémonique presque sans égale, et alors que certains préconisaient une guerre préventive contre leur seul rival potentiel (l'Union soviétique), les États-Unis devinrent au contraire l'architecte en chef des Nations unies et le principal défenseur du multilatéralisme, de l'intégration européenne et du recours à la diplomatie et à la négociation, puis à l'endiguement et à la dissuasion, pour instaurer la paix dans le monde, la guerre ne venant qu'en dernière option – et même alors (comme en Corée) sous l'autorité de la Charte des Nations unies.

En nous ligotant à notre propre peur, les terroristes annulent les liens du contrat social, nous ramenant au point de départ : l'« état de nature » de Hobbes. En quatre siècles, nous sommes passés de la fin de la féodalité à l'État-nation, de l'anarchie, l'insécurité et la peur à l'ordre public : à l'ordre garanti par les lois, à la sécurité politique et aux bienfaits de la liberté civile. Or les guerres des XIXe et XXe siècles et les génocides qui les ont accompagnées, les djihads tribaux et terroristes des dernières décennies et le comportement prédateur d'agents opérant comme bon leur semble sur des marchés internationaux anarchiques ont fini par inverser les indicateurs de la liberté. En agissant en dehors de la loi, en rendant l'insécurité omniprésente et en faisant de la liberté un synonyme de risque, la terreur marque l'apothéose de l'anarchie internationale, qui à son tour accroît la tentation de la répression brutale.

L'insécurité peut conduire les nations à acquérir la sécurité en sacrifiant la liberté. La répulsion suscitée par les actes destructeurs mal intentionnés d'Oussama ben Laden risque d'induire une tolérance aux actes destructeurs bien intentionnés de John Ashcroft. Un attorney général américain va-t-en-guerre, résolu à ne pas s'embarrasser des subtilités des libertés civiques tant pour les citoyens que pour les non-citoyens, est moins le produit d'une administration obsédée de sécurité que d'un peuple terriblement effrayé. Ce n'est pas Lincoln qui rendit possible la suspension de l'*habeas corpus* pendant la guerre de Sécession, mais ses électeurs affolés de l'Union ; ce n'est pas Franklin Roosevelt qui précipita l'internement d'Américains japonais loyaux dans des camps de concentration pendant la Seconde Guerre mondiale, mais des citoyens américains alarmés. Et aujourd'hui l'ennemi des libertés civiques aux États-Unis n'est pas Ashcroft, mais la peur. En descellant la liberté de son point d'ancrage, le terrorisme remplit avec succès sa mission : semer la terreur.

Notre peur de l'anarchie nous a ramenés en réalité à l'état de nature anarchique qui était le premier et véritable empire de la peur. Là, nous nous sentons tenus de renoncer aux lois pour seulement compter sur la force et la fourberie ; écartant les alliances et ne faisant confiance qu'à nous-mêmes ; troquant la liberté civique et respectueuse des lois acquise au moyen de la citoyenneté démocratique contre cette « liberté naturelle » élimée qui nous donne le droit de faire ce que nous pouvons, de nous tuer mutuellement au nom de l'instinct de conservation. Nous sommes attirés dans une guerre de tous contre tous – et, sinon tous, du moins ceux que nous percevons comme nos « ennemis ». La liste ne cesse de s'allonger : l'Irak aujourd'hui, l'« axe du mal » avec la Corée du Nord et l'Iran demain, le Soudan, la Syrie, l'Indonésie et le Pakistan la semaine prochaine, la Malaisie, l'Égypte, l'Arabie Saoudite, la Somalie et les Philippines l'an prochain. L'état de nature ne se connaît pas d'amis.

Si notre état actuel d'anarchie mondiale innove à bien des égards, beaucoup de ses composantes sont également vétustes : l'effondrement de la civilité et de l'ordre des lois en conséquence des dissensions civiles et de la guerre (comme pendant les guerres civiles anglaises au XVIIe siècle, par exemple), le sens des limites de la souveraineté dans un contexte de terreur et d'incertitude (en France, en Russie et au Viêt-nam lors de leurs révolutions, par exemple) et l'étonnante justesse de la métaphore de l'« état de nature » dans le secteur international (pendant les guerres mondiales du siècle dernier ainsi qu'aujourd'hui).

Maintenant, les États indépendants forment entre eux une nouvelle « condition naturelle » mondiale, définie par l'anarchie, la force et la fourberie. Les États indépendants se méfient autant les uns des autres que jadis les individus à l'état de nature. Mais ce qui apparaissait clairement en matière de relations humaines au sein des États-nations s'est révélé beaucoup plus insaisissable dans le champ des relations internationales. Les nations sont dupes de leur prétendue indépendance (c'est le paradoxe de l'indépendance) qui leur fait croire qu'elles n'ont ni besoins ni devoirs réciproques.

Bien que l'anarchie internationale exige une entente entre des nations en conflit, avec encore plus de force qu'elle n'exigeait un contrat entre des individus en conflit, deux cents nations d'aujourd'hui se cramponnent au modèle de la souveraineté. S'il leur arrive d'envisager une coopération, elles s'en tiendront à une forme d'équilibre des forces sans ressort, très peu contraignant, qui n'entamera pas leur souveraineté individuelle.

L'idée d'indépendance conserve sa séduction. L'interdépendance est ressentie comme une dépendance, et la dépendance comme la perte de la liberté. Aux États-Unis, beaucoup ont refusé la vision fédéraliste de l'Amérique durant près d'un siècle, entraînant une violente guerre civile livrée non pas au nom de l'abolition de l'esclavage, mais de l'intégrité de l'union fédérale. Il est parfois difficile de savoir qui fut vainqueur ou vaincu dans ce grand affrontement. Dans l'ouvrage de Thomas Dixon, *The Clansman*, qui inspira à D.W. Griffith son monument classique et profondément raciste, *Birth of a Nation (Naissance d'une nation)*, un chapitre sur l'expulsion des Afro-Américains des États-Unis (ce que Griffith appelait la « solution de Lincoln ») s'intitulait « Une nouvelle Déclaration d'indépendance »[1]. La

1. Michael Rogin, aujourd'hui disparu, propose une analyse brillante et dérangeante des rapports entre Thomas Dixon, D.W. Griffith et Woodrow Wilson dans son article « "The sword became a flaming vision" : D.W. Griffith's *The Birth of a Nation* », in *Ronald Reagan, The Movie : And Other Episodes in Political Demonology*, Berkeley, University of California Press, 1987, p. 194-195 en particulier. Sa contribution met puissamment en évidence les rapports entre le film, les images et le leadership présidentiel américain.

bataille continue de faire rage aujourd'hui entre les Américains partisans de la vision confédérale d'une nation américaine – un agrégat d'États semi-souverains dont les pouvoirs, estiment-ils, prendront le pas sur ceux du gouvernement central (dont la souveraineté n'existe que par la volonté des États) – et ceux qui reconnaissent réellement que les États-Unis forment une nation souveraine dont le tout est plus grand que les parties et souverain sur celles-ci. Le fait que cette vision des droits des États soit restée viable (et compte des partisans à la Cour suprême américaine) plus de deux siècles après la ratification de la Constitution prouve assez qu'on passe difficilement de la notion d'États souverains indépendants et autonomes à une entité plus globale – même au sein de la nation américaine, sans même parler du monde.

De l'avis de certains, l'instauration de formes supranationales de souveraineté passe peut-être d'abord par la dissolution des États-nations ; les individus et les communautés subnationales (déjà subordonnées à des États-nations, donc accoutumées à servir des entités souveraines plus importantes sans perdre leur identité distincte) se regrouperont plus aisément en communauté supranationale que les États-nations. Ce raisonnement permet d'envisager certaines stratégies parallèles procédant par la réunion de cantons et de provinces en régions plus vastes que l'État-nation : ainsi, une « Europe » constituée non par la France, l'Espagne et l'Allemagne, par exemple, mais par leurs provinces, comme la Catalogne, la Provence et la Hesse ; un accord de libre-échange nord-américain liant la Californie et la péninsule de Basse-Californie plus intimement que les États-Unis et le Mexique ; une Afrique étroitement formée de tribus, et non de conglomérats tribaux souvent improductifs créés par les puissances d'occupation coloniales sur le modèle des États-nations européens.

Or, là où des États-nations se sont réellement désagrégés, comme en ex-Yougoslavie ou en Afghanistan, il en a résulté l'instabilité et la guerre ethnique ou tribale, et non l'intégration supranationale de vestiges récalcitrants. À longue échéance, les États-nations restent l'expression la plus puissante de la communauté humaine et les meilleurs garants de stabilité (bien que pas toujours de démocratie). De plus, parce qu'ils se fondent sur la logique d'interdépendance (la logique du contrat social), ils disposent au moins sur le papier des moyens nécessaires pour parvenir à des formes mondiales de gouvernance démocratique. Dans la mesure où ils ne le font pas – ne s'étant pas engagés à construire des formes supranationales de gouvernance et des formes internationales de législation et de coopération –, l'anarchie naturelle qui caractérise les relations entre les nations risque fort de devenir toujours plus destructrice.

4

La « nouvelle » doctrine de guerre préventive

Nous ne pouvons pas laisser l'ennemi frapper le premier.
Stratégie nationale de sécurité des États-Unis d'Amérique,
septembre 2002.

Il n'est rien de plus absurde que de croire
que la guerre peut arrêter la guerre.
On ne « prévient » rien
par la guerre, sauf la paix.
Harry TRUMAN[1].

La guerre d'Irak résulta d'une doctrine stratégique annoncée officiellement par Condoleezza Rice le 20 septembre 2002 : la « stratégie nationale de sécurité des États-Unis d'Amérique ». Sous son apparente nouveauté, cette doctrine était déjà solidement implantée. Elle fut sans doute formulée sans ambiguïté dans l'immédiat après-11 Septembre ; on en devina les grandes lignes dans plusieurs discours du président Bush au cours de l'année suivante, et de façon particuliè-

1. Citation tirée des *Memoirs* de Truman, dans une lettre de Mike Moore, rédacteur en chef du *Bulletin of Atomic Scientists, New Republic*, 4 novembre 2002.

rement frappante à West Point au printemps 2002, lorsque le président lança cet avertissement : « Nous devons porter la bataille chez l'ennemi, désorganiser ses projets et faire face aux pires menaces avant qu'elles ne surgissent[1]. » Sa logique sous-jacente renvoie à un rapport intitulé « Reconstruire la défense de l'Amérique » établi par le Projet pour un nouveau siècle américain, un groupe de travail informel qui s'était constitué à la fin des années 1990, qui comprenait, entre autres, William Kristol, Robert Kagan et John Bolton, et dont de nombreux participants sont actuellement membres ou conseillers de l'administration Bush.

Le document officiel de la stratégie nationale de sécurité est préfacé par une lettre du président Bush qui en condense brièvement les divers points. La situation a radicalement changé, constate le président : « Dans le passé, nos ennemis devaient disposer de puissantes armées et de grandes capacités industrielles pour mettre l'Amérique en danger. Désormais, des réseaux tapis dans l'ombre peuvent amener sur nos rivages la souffrance et le chaos, pour un coût moins élevé que l'achat d'un seul tank. Les terroristes ont été formés pour infiltrer les sociétés ouvertes et retourner contre nous la puissance des technologies modernes*. » Un changement fondamental de stratégie s'impose donc : l'Amérique « interviendra avant même que la menace ne se concrétise ». On a ici la prescription d'une guerre préventive. La situation nouvelle – « L'Amérique se voit moins

---

1. Bush, « 2002 Graduation Exercise of the US Military Academy », art. cité.

* Traduit par Lise-Éliane Pommier, *Le Monde*, 24 septembre 2004, et disponible sur Internet (www.medias.lemonde.fr/medias/pdf-obj/docbushstrateg020920.pdf). (*NdT*)

menacée aujourd'hui par des États forts que par des États faibles [...]. Nous sommes moins menacés par des flottes et des armées que par des technologies dévastatrices » – exige des tactiques nouvelles : « Plus grave est la menace, plus le risque de l'inaction est grand – et plus il est important de prendre des mesures préventives pour assurer notre défense – même si des doutes subsistent sur le moment et l'endroit de l'attaque ennemie. Pour anticiper ou prévenir les actions hostiles de leurs adversaires, les États-Unis useront si nécessaire d'actions de préemption*. »

La logique du document présuppose, très justement, l'hégémonie américaine : « Les États-Unis jouissent d'une force sans égale et d'une très grande influence économique et politique. » Mais, surtout, elle part du principe que l'hégémonie est le droit de naissance de l'Amérique et que la paix exige qu'il soit maintenu : « Nos forces seront assez puissantes pour dissuader des adversaires potentiels de constituer des arsenaux militaires dans l'espoir d'égaler ou de surpasser la puissance des États-Unis [...]. Nous devons construire et entretenir nos moyens de défense de façon qu'ils restent inégalés. » Mais tout cela à des fins bienveillantes : la puissance américaine ne sera déployée que pour encourager des « sociétés libres et ouvertes », non pour rechercher l'« avantage de façon unilatérale ». Conformément

* « Par préemption *(preemption)*, il faut entendre, dans le cadre circonscrit de la dissuasion mutuelle d'antan, un signal précis destiné à prévenir une attaque jugée imminente de l'adversaire. Une telle hypothèse n'a pas sa place dans une guerre préventive qui viserait des États dont la menace n'est ni imminente, au sens précédent, ni spécifiquement dirigée contre les États-Unis » (Christian Schmidt, « Aux sources de la "guerre préventive" », *Le Figaro*, 5-6 juillet 2003). (*NdT*)

à la vision du rôle exceptionnel de l'Amérique, cette « union incomparable de nos valeurs et de nos intérêts » définit « un internationalisme clairement américain ».

D'après le *Washington Post*, la version intégrale et non divulguée de la doctrine « va encore plus loin » et « rompt avec cinquante ans d'efforts en matière de contre-prolifération menés par l'Amérique en autorisant les frappes de préemption contre des États et des groupes terroristes qui sont sur le point de se doter d'armes de destruction massive et de missiles de longue portée capables de les embarquer », l'objectif étant d'en détruire les différents éléments avant leur assemblage[1]. L'annexe « top secret » du document désignerait nommément l'Iran, la Syrie, la Corée du Nord et la Libye, ainsi que l'Irak, au nombre des pays principalement visés par cette nouvelle approche, qui s'engage à « mettre fin aux transferts de composantes d'armes à l'intérieur de leurs frontières ou hors de celles-ci ».

Conçue comme une réaction à des dangers nouveaux, la doctrine de guerre préventive introduit de nouveaux risques. Elle entend suppléer aux insuffisances des politiques de dissuasion et d'endiguement qui ont caractérisé la guerre froide : « La dissuasion fondée sur des menaces de représailles ne servira pas à grand-chose avec des États de non-droit prêts à prendre tous les risques [...]. Le concept traditionnel de dissuasion n'aura aucun effet sur un ennemi terroriste dont le but avoué est de semer la destruction et d'abattre des innocents, dont les prétendus soldats espèrent mourir en

1. Mike Allen et Barton Gellman, « Strike first, and use nuclear weapons if necessary », *Washington Post National Weekly Edition*, 16-22 décembre 2002.

martyrs et dont la protection la plus efficace est qu'il ne se réclame d'aucune patrie[1]. »

Or la nouvelle doctrine reproduit en définitive plusieurs traits particulièrement dangereux de l'endiguement. Elle pose comme certains des faits et des conséquences que l'histoire événementielle contredit à chaque instant. George F. Kennan, le plus éminent réaliste de l'Amérique (largement nonagénaire aujourd'hui), déclarait dans un entretien récent qu'il suffisait d'avoir étudié l'histoire pour comprendre « qu'on peut entreprendre une guerre avec des arrière-pensées », mais que la guerre pose vite des questions « auxquelles vous n'aviez jamais pensé[2] ». Par sa logique d'« autodéfense anticipée », la stratégie de guerre préventive repose sur la prévision à long terme et sur l'enchaînement présumé de faits infiniment moins certains que ceux évoqués par la logique d'autodéfense immédiate. En tirant d'abord et en posant des questions ensuite, elle ouvre la voie à de tragiques erreurs de calcul. En transgressant la doctrine de légitime défense traditionnelle du droit international, elle crée un précédent catastrophique pour les autres nations invoquant leur propre logique d'exception. Et en abandonnant la logique prudente du contrat social et du respect du droit qui fut peut-être la plus belle réussite de l'indépendance américaine, elle renonce en dernier ressort à l'héritage idéaliste dans lequel elle affirme s'ancrer.

Des chouettes circonspectes, l'œil sur le futur lointain du droit et de l'ordre international, se sont insurgées.

1. White House, *The National Security Strategy of the United States of America*, septembre 2002.

2. Cité par Albert Eisele, « Hill profile : George F. Kennan », *The Hill*, 25 septembre 2002.

Comme le soulignait l'une d'elles, l'administration Bush, dans sa façon de traiter les prisonniers de la guerre au terrorisme, « semble ne pas avoir compris, ou voulu comprendre, qu'elle avait plus d'arguments juridiques – donc, peut-on penser, plus d'options juridiques – qu'elle ne le fit valoir quand elle décida que [la convention de] Genève, d'une façon générale, n'était pas applicable ou trop compliquée à appliquer. Ici, de même que dans son conflit avec la nouvelle Cour pénale internationale qu'elle s'est juré de ne pas ratifier et n'a jamais reconnue, l'administration s'est totalement désintéressée de l'élaboration du "droit humanitaire international", comme on appelle aujourd'hui par euphémisme le droit de la guerre[1] ». Les adeptes de l'empire de la peur sont convaincus que le choc et la stupeur l'emportent largement sur la majesté tant vantée du droit pour rendre les gens doux comme des agneaux.

La guerre préventive compte des précédents dans l'histoire des relations internationales de l'Amérique ; mais, sous la forme de doctrine promulguée, elle s'écarte radicalement des conventions de la doctrine stratégique américaine et de la conception de la guerre. Les États-Unis ont certes pris des initiatives militaires dans le passé sans l'approbation du Congrès et d'une façon taxée d'hypocrisie par les uns, d'impérialisme par les autres. Mais en veillant toujours à ancrer leur droit à déployer des troupes dans la Constitution (la résolution de la baie du Tonkin qui légitimait la guerre au Viêtnam), dans la Charte des Nations unies (la Corée) ou dans le droit international (Panama). Hypocrisie peut-

1. Joseph Lelyfeld, « In Guantánamo », *New York Review of Books*, 7 novembre 2002.

être, mais ils ont toujours rendu hommage aux principes du droit et de la légitime défense en refusant de reconnaître qu'ils opéraient hors de leur champ d'action.

Face au communisme soviétique, menace totalitaire plus abominable aux yeux de certains Américains que ne l'avait été le nazisme, la guerre préventive offrait une tentation permanente. D'après Francis P. Matthews, secrétaire à la Marine du président Truman, les États-Unis devaient être prêts à « payer n'importe quel prix, même celui de déclencher une guerre, pour obliger à coopérer à la paix », initiant une controverse sur les avantages d'une « première frappe » nucléaire autour de laquelle s'articula le débat sur la préemption pendant les années de guerre froide[1]. Winston Churchill avait envisagé d'ouvrir un front contre les nazis dans le ventre mou des Balkans pour couper les Soviétiques du butin de guerre en Europe centrale. La guerre terminée, certains pensaient que l'Amérique devait en finir avec son « allié » russe d'antan. Or, et c'est à noter, les vétérans de la guerre froide utilisaient pour une bonne part la terminologie de situation nouvelle et de contexte radicalement modifié qui a présidé à la promulgation de la doctrine de guerre préventive après le 11 Septembre, pour essayer de convaincre l'Amérique de renoncer à sa vision plus civilisée de la guerre (après Hiroshima !) au profit d'une philosophie plus musclée. En justifiant les activités clandestines de l'OSS pendant la Seconde Guerre mondiale, le général James H. Doolittle invoquait déjà une situation nouvelle :

> Il est maintenant clair que nous sommes confrontés à un ennemi implacable dont l'objectif avoué est de dominer le monde par tous les moyens et à n'importe quel

---

1. Lettre de Moore, art. cité.

> prix. Il n'existe pas de règles dans un tel jeu. De sorte que les règles acceptables du comportement humain ne s'appliquent pas. Si l'on veut que les États-Unis survivent, il convient de réviser les vieux concepts américains de *fair-play.* Nous devons mettre en place des services d'espionnage et de contre-espionnage efficaces, et nous devons apprendre à porter la subversion, le sabotage et la destruction chez nos ennemis par des méthodes plus habiles, plus sophistiquées et plus opérantes que celles employées contre nous. Il peut devenir nécessaire que le peuple américain apprenne à connaître, comprendre et soutenir cette manière de voir foncièrement révoltante[1].

Le président Bush aurait pu emprunter ce paragraphe sans en changer un mot pour peaufiner la préface à sa doctrine de guerre préventive du 20 septembre 2002.

Évidemment, une fois que les Soviétiques eurent acquis leurs propres armes nucléaires (puis thermonucléaires), la prévention se compliqua (comme aujourd'hui avec la Corée du Nord). Il apparut que s'ils attendaient d'être frappés, les États-Unis n'auraient pas d'autre solution que de « punir » l'autre camp de sa « victoire » en le détruisant en retour. Cette logique aberrante *(mad)* de destruction mutuelle assurée (*mutual assured destruction*, ou MAD) amena les analystes va-t-en-guerre à réfléchir aux vertus d'une préemption décisive. Un stratège, Herman Kahn, avait calculé que même si elle entraînait la mort de quarante ou cinquante millions d'Américains, une première frappe mettant fin à la perspective d'un anéantissement mutuel pouvait passer pour rationnelle.

Pendant toute la guerre froide, les appels à une guerre nucléaire de préemption et préventive contre les Sovié-

1. Cité par Pat M. Holt, *Secret Intelligence and Public Policy : A Dilemma of Democracy*, Washington, CQ Press, 1995, p. 239.

tiques ne faiblirent jamais. Ils firent à l'époque l'objet de parodies féroces comme *Dr. Strangelove, or How I Learned to Stop Worrying and Love the Bomb (Docteur Folamour)*, ou métamorphosés en peur paranoïaque dans des drames tels que *Seven Days in May (Sept Jours en mai)* ou *On the Beach (Le Dernier Rivage)*. Lors de la crise des missiles de Cuba en 1962, qui mit à l'épreuve le sang-froid du président Kennedy, l'appel à l'action de préemption fut ajourné au profit d'un examen « rationnel ». Kennedy se trouva confronté de fait à un choix difficile : lancer une frappe préventive contre Cuba (après y avoir découvert la présence secrète de missiles soviétiques) qui tuerait des Russes ainsi que des Cubains et risquerait de déclencher un échange nucléaire, ou ne rien faire et prendre le risque que les missiles – une fois opérationnels – ne servent à une première frappe contre les États-Unis. Pendant ce temps-là, l'Union soviétique se vit stigmatisée par le même discours moralisateur sur le mal (« dictature totalitaire » et « empire du mal ») que celui employé récemment pour justifier une guerre préventive contre l'Irak[1].

Le président Kennedy choisit en définitive le compromis et la diplomatie plutôt que la préemption – quand bien même l'ennemi soviétique détenait les moyens d'anéantir les États-Unis presque instantanément – et réussit à désarmer Cuba de ses missiles soviétiques sans guerre. Les acteurs des journées terrifiantes

1. Il était courant d'affirmer que l'Union soviétique, « totalitaire » et non pas « autoritaire », était invulnérable aux coups portés de l'intérieur et devrait être vaincue de l'extérieur. Voir, par exemple, Jeane Kirkpatrick, un temps ambassadeur des États-Unis à l'ONU, « Dictatorships and double standards », *Commentary*, vol. 68, n° 5, novembre 1979.

pendant lesquelles la décision fut prise conviennent que, durant la crise, le monde fut à un cheveu de l'apocalypse. Il fut sauvé non pas par la planification stratégique à long terme, mais seulement par la prudence « en situation » inattendue d'un président américain agressif et d'un Premier ministre soviétique belliqueux, aidés par un tour de passe-passe diplomatique[1]. À la suite de la sage décision du président Kennedy d'opter pour un compromis, les administrations ultérieures, républicaines et démocrates, ont choisi (jusqu'à dernièrement) de s'en tenir à une politique plus compliquée et accommodante de diplomatie multilatérale, d'endiguement et de dissuasion (suffisamment risquées en soi).

On ne peut pas faire son deuil de la *lex humana* en y voyant une politique réservée à des périodes moins périlleuses parce qu'elle refuse de souscrire aux doctrines nucléaires de « première frappe » ou à des arguments en faveur de la guerre qui ne se fondent pas sur une « guerre juste » ou sur la légitime défense traditionnelle (comme spécifié à l'article 51 de la Charte des Nations unies). Elle fut la réponse couronnée de succès (bien que risquée) à une période infiniment plus dangereuse, quand les États-Unis affrontaient des ennemis infiniment plus puissants qu'Al-Qaida, sans même parler de l'Irak. Les Soviétiques dispo-

1. L'affaire ne se résolut pacifiquement que parce que Kennedy et Khrouchtchev s'accordèrent mutuellement une « deuxième » chance (tous deux firent en sorte qu'une « première lettre » d'offre de paix d'abord écartée soit rétablie après l'envoi d'une « deuxième lettre » belligérante, menaçant de guerre) ; ils durent tous deux rester sourds aux objurgations de ceux qui, dans leurs rangs respectifs, réclamaient des frappes préventives. Voir le compte rendu intégral in Ernest R. May et Philip D. Zelikow (dir.), *The Kennedy Tapes : Inside the White House During the Cuban Missile Crisis*, Cambridge, Massachusetts, Harvard University Press, 1997.

saient d'armes de destruction massive on ne peut plus réelles – des bombes nucléaires et thermonucléaires avec lesquelles on ne plaisantait pas – et des moyens de les déployer dans le monde entier. Leur idéologie leur inspirait un vertueux courroux historique contre les démocraties capitalistes et leur principal agent, les États-Unis. Ceux-ci croyaient que l'attrait d'une organisation juridique internationale, couplée à un système d'alliances et de traités complexe et souvent adepte du compromis, garantissait une protection contre des ennemis de l'ordre public tyranniques comme les Soviétiques. Seuls ces dispositifs offraient une solution de remplacement à la gouvernance de la peur indissociable de l'« équilibre de la terreur » qui préservait la paix.

Les peurs engendrées par le 11 Septembre ont détruit le consensus politique de la période de la guerre froide. Après avoir été officiellement promulguée par Condoleezza Rice dans sa déclaration sur la sécurité nationale, la logique de guerre préventive est devenue le mot de passe pour justifier l'usage de la force dont on avait menacé l'Irak. Dans son discours à la nation du 8 octobre 2002 au sujet de l'Irak, le président déclara solennellement que, au vu des attaques dévastatrices du 11 Septembre et « confrontée à un péril manifeste », l'Amérique refusait d'« attendre la preuve ultime, le *smoking gun*, qui pouvait prendre la forme d'un nuage en forme de champignon ». Ayant « toutes les raisons de s'attendre au pire et [...] le devoir impératif d'empêcher le pire de se produire », elle ne pouvait pas et n'allait pas reprendre « l'ancien système d'inspections ni appliquer des pressions diplomatiques et économiques[1] ».

---

1. George W. Bush, « Remarks by the President on Iraq at the Cincinnati Museum Center », 8 octobre 2002 ; cité in *New York Times*, 9 octobre 2002.

La nouvelle doctrine a visiblement libéré le président Bush, l'autorisant à exprimer avec l'aura d'une politique officielle la ligne dure qu'il peaufinait depuis un an dans les réunions de cabinet (le moment venu, elle lui permit de se passer carrément de preuves) : « Le temps des dénégations, des duperies et des atermoiements a pris fin, s'estimait-il désormais capable de dire. Saddam Hussein doit désarmer de lui-même ou bien, au nom de la paix, nous prendrons la tête d'une coalition pour le faire. » Toujours sensible à la puissante sémantique du caractère exceptionnel de l'Amérique, le président ajoutait que les États-Unis n'adoptaient pas cette position seulement pour se protéger, mais aussi pour assumer leur « mission de défendre la liberté humaine contre la violence et l'agression ». Et d'enchaîner avec le morceau de bravoure américain de rigueur : « Par notre détermination, nous donnerons la force aux autres. Par notre courage, nous leur donnerons l'espoir. Et par nos actions, nous garantirons la paix et conduirons le monde vers des jours meilleurs. Que Dieu bénisse l'Amérique. »

Si le président Bush voyait dans une réaction anticipée contre l'Afghanistan des talibans et contre l'Irak de Saddam Hussein une puissante réponse préventive au terrorisme, Paul Wolfowitz, peut-être l'aigle le plus va-t-en-guerre et militant du Pentagone de Donald Rumsfeld, restait sur sa faim. Bien avant que Condoleezza Rice ait rédigé la première version de son document, il recherchait déjà une politique de préemption concluante – prévoyant de « mettre fin aux États qui soutiennent le terrorisme[1] ». Les termes utilisés par Condoleezza Rice

1. Woodward, *Bush s'en va-t-en guerre*, *op. cit.*, p. 80-81.

dans le nouveau document de stratégie montrent que le point de vue de Paul Wolfowitz l'a emporté. Après tout, le patron de ce dernier, le secrétaire à la Défense Donald Rumsfeld, avait préconisé de « sortir de la boîte à idées » des doctrines de défense traditionnelles. Ce qu'on pouvait interpréter comme ne pas s'en tenir aux seules frappes préventives, mais envisager tout ce qui serait susceptible de « mettre fin aux États », y compris l'assassinat, voire l'empoisonnement des réserves alimentaires ennemies – même si, à en croire Bob Woodward, cette dernière suggestion tombait sous la rubrique des opérations « hors norme[1] ». L'assassinat entrait dans la norme, en revanche, au moins dans la rhétorique de l'administration. Ari Fleischer, porte-parole de Bush, reconnaissait ainsi que, si « la politique [en Irak] est un changement de régime », alors « le coût du billet aller est considérablement inférieur [à celui de l'invasion]. Le coût d'une seule balle, si le peuple

1. *Ibid.*, p. 100. Dans une chronique sur la volonté apparente du président Bush de voir Saddam Hussein tué, Nicholas D. Kristof rappelle que, malgré la proscription de l'assassinat signée par le président Reagan (Executive Order 12333), les États-Unis ont plus d'une fois mis en œuvre des plans secrets en ce sens contre des adversaires précis. La proscription de ce type d'« action clandestine » n'est pas inscrite dans le droit américain et, bien qu'il ait été renouvelé depuis, le décret présidentiel de Reagan « peut aisément être annulé ». Il « apparaît » au moins, argumente Kristof, que le gouvernement américain a tenté de tuer le président libyen Kadhafi en 1986, le Somalien Mohamed Farah Aidid en 1993, et Saddam Hussein en 1991. Le vrai problème est de « trouver Saddam pour le tuer ». Voir Nicholas D. Kristof, « The Osirak option », *New York Times*, 15 novembre 2002, p. A31. L'Irak du parti Baas a disparu, mais Saddam Hussein, comme Oussama ben Laden, court toujours (au moment où ces lignes sont écrites, soit en juin 2003).

irakien s'en charge, est substantiellement moins élevé[1] ».

Aussi extrêmes et nouvelles que paraîtront ces idées, la logique explicite de la guerre préventive s'est affirmée bien plus tôt. La « directive présidentielle 17 » (connue également sous le nom de « directive présidentielle 4 sur la protection du territoire national »), fruit de la première grande collaboration, en matière d'orientations, entre le Conseil national de sécurité et le Conseil pour la protection du territoire national fraîchement créé et présidé par Tom Ridge, directive signée par le président en mai 2002, avait annoncé que « la non-prolifération traditionnelle [avait] échoué et [que] désormais [l'Amérique] s'engage[ait] dans la mise hors d'état de nuire active » *(active interdiction)*. Un haut responsable de l'administration clarifia ce qu'il fallait entendre par là : « La mise hors d'état de nuire active est "concrète" ; c'est la perturbation, la destruction sous n'importe quelle forme, dynamique ou cybernétique[2]. »

Cofer Black, chef du contre-terrorisme à la CIA, précisa avec la même franchise et infiniment plus de délectation l'esprit de la nouvelle doctrine et ses possibles conséquences. Bien que l'on pût l'interpréter en termes plus classiques de légitime défense, l'attaque contre les talibans comportait aussi un élément de prévention (les talibans n'avaient pas attaqué l'Amérique, même s'ils avaient délégué à d'autres le soin de le faire). Peu après le 11 Septembre, Cofer Black promit au président Bush de lui rapporter la tête

1. Ari Fleischer, point de presse dans la salle James S. Brady, 1er octobre 2002.

2. Mike Allen et Barton Gellman, « Preemptive strikes part of US strategic doctrine », *Washington Post*, 11 décembre 2002, p. A1.

d'Oussama ben Laden ; au cas où l'on aurait cru à une boutade, il commanda des boîtes à cette fin lors de sa première mission auprès de l'Alliance du Nord afghane au moment où la guerre se déclenchait dans le pays. « Quand nous en aurons fini [avec les talibans et Al-Qaida], ils auront des mouches dans les yeux », assura-t-il dans un langage qui rend bien la fureur de la Maison-Blanche devant le comportement des terroristes, mais aussi l'esprit de la guerre préventive en soi, dont la ligne semble tracée en lettres de sang.

Un an allait s'écouler avant sa proclamation officielle, mais la préemption fut dans l'air immédiatement après le 11 Septembre. Cofer Black tint à faire savoir au monde entier – notamment aux Russes, peut-être tentés de croire que l'Afghanistan restait leur pré carré – que l'Amérique s'était mise en mouvement. « Nous sommes en guerre, nous arrivons. Quoi que vous fassiez, nous viendrons. » Quand les Russes réagirent en prévenant l'Amérique qu'elle allait « en baver » en Afghanistan, Cofer Black ne broncha pas : « Nous les tuerons. Nous mettrons leurs têtes sur des piques. Nous foutrons leur monde en l'air[1]. » On avait déchaîné le courroux de la puissance hégémonique. Et, dans le cas de l'Afghanistan et de l'Irak, elle parlait vrai. « Cette nation est pacifique, mais implacable quand on éveille sa colère », rappela le président Bush dans son discours à la cathédrale nationale. Elle n'attendait plus que les méchants tirent les premiers. Le mollah Omar était Oussama ben Laden, les talibans étaient le mollah Omar, le gouvernement de l'Afghanistan était les talibans. L'Amérique n'était plus

1. Woodward, *Bush s'en va-t-en guerre*, *op. cit.*, p. 72 et 122-123.

mariée à la légitime défense au sens strict ni à la civilité dans aucun sens du tout. Elle ne se sentait plus tenue de persuader les autres que sa cause était juste. Pourtant, les États-Unis respectaient les « valeurs, opinions et intérêts de leurs amis et de leurs partenaires », mais ils étaient préparés « à agir seuls quand leurs intérêts et leur mission exceptionnelle l'exigeraient[1] ». Comme elle le dirait et répéterait jusqu'à sa guerre contre l'Irak, l'Amérique n'avait besoin de la permission de personne pour identifier ses ennemis et mener contre eux une guerre préventive. L'axe du mal et quiconque y était vaguement associé savaient à quoi s'en tenir. On peut seulement s'étonner de l'ébahissement des États-Unis quand certains des intéressés réagirent – les Nord-Coréens, par exemple.

Au moment où le président prononça son grand discours de politique à la Citadelle le 11 décembre 2001, la colère suscitée par le 11 Septembre en lui et chez Donald Rumsfeld, Paul Wolfowitz et Cofer Black avait engendré un nouveau terme officiel : la « contre-prolifération active ». La contre-prolifération signifiait qu'on ne se fiait plus aux traités ni aux promesses ; le traité de non-prolifération avait échoué et le traité global d'interdiction des essais nucléaires avait montré ses insuffisances. L'Amérique elle-même s'était retirée unilatéralement du traité sur les armements antimissiles balistiques (ABM). Finis, les efforts pusillanimes pour corrompre les acquéreurs éventuels d'ADM ; le Nunn-Lugar Program approuvé par le Congrès, qui autorisait l'achat de toutes les têtes nucléaires disponibles sur le marché dans les ex-territoires soviétiques, avait périclité faute de

1. National Security Strategy.

financement[1]. En réalité, la contre-prolifération signifiait des frappes de préemption contre des installations servant à développer des armes de destruction massive. Une matraque au lieu de la carotte, brandie non comme élément de dissuasion, mais comme instrument pour punir d'avance les enfants susceptibles de désobéir. La contre-prolifération était un euphémisme pour qualifier la guerre préventive, la mise hors d'état de nuire active d'éventuels trublions décrétée par des parents excédés qui refusaient désormais d'attendre ce qu'allaient encore inventer les gamins.

La guerre préventive, inspirée par la peur et le doute, a remplacé la logique au mode indicatif de l'autodéfense (« On nous a attaqués ! ») par une nouvelle logique au subjonctif (« Quelqu'un se prépare peut-être à nous attaquer »). L'autodéfense dit : « Nous sommes déjà en guerre grâce à nos ennemis : notre déclaration de guerre n'est que la confirmation d'une situation observable. » À quoi la guerre préventive répond : « C'est un monde dangereux dans lequel de nombreux adversaires potentiels envisagent peut-être de nous attaquer, nous ou nos amis, ou sont peut-être en passe d'acquérir les armes qui leur permettront de le faire s'ils le souhaitent : donc nous déclarerons la guerre à ces adversaires et empêcherons le déroulement possible de ce dangereux enchaînement de "peut-être" et de "possible". »

Il saute aux yeux que les menaces de guerre préventive n'obtiennent pas toujours l'effet recherché. Les bouffées de rhétorique guerrière sont certes une spécialité du régime isolé de Kim Jong Il, mais la guerre des mots se

1. Il fallut les protestations des démocrates comme des républicains pour que le financement du programme soit rétabli dans les mois qui précédèrent la guerre en Irak.

révèle habituellement une voie à double sens. En la considérant comme un membre agréé de l'axe du mal, le président Bush a désigné sans équivoque la Corée du Nord comme une cible potentielle de la nouvelle stratégie de guerre préventive. En le qualifiant de « pygmée » qu'il « exècre », le président a reconnu en Kim Jong Il un adversaire aussi détestable que Saddam Hussein, le « prochain » sur la liste des « un par un » visés par la guerre préventive. Quelle réaction peut-on espérer de la part d'une nation ciblée comme candidate au « suicide assisté » (comme certains qualifient le plan d'« endiguement sur mesure » de l'administration, qui attend l'effondrement d'une Corée du Nord en faillite) devant ce déchaînement de colère ? Faut-il s'étonner que, comme Bill Keller l'a écrit, « ils [aient] pris tout à fait au sérieux nos propos belliqueux » ? En particulier quand « nous coupons court à toute discussion, adoptons la préemption militaire comme doctrine pour traiter avec ceux qui rêvent du nucléaire, et citons la Corée du Nord pour justifier la mise en place d'un système de défense antimissile en Alaska[1] ».

---

1. Bill Keller, « At the other end of the axis : Some FAQ's », *New York Times*, 11 janvier 2003, p. A15. Certes, reconnaît Keller, ce sont les Coréens qui dénoncèrent les premiers l'*Agreed Framework* de 1994, l'accord par lequel la Corée du Nord acceptait de geler son programme nucléaire en échange de l'assistance américaine, de deux réacteurs civils à eau légère (rendant beaucoup plus difficile la production de bombes au plutonium) et d'une assurance de non-agression de la part des États-Unis. Cet accord, négocié par le président Carter en qualité d'envoyé du président Clinton, mit fin à une crise très voisine de celle d'aujourd'hui, au cours de laquelle Clinton envisagea sérieusement une frappe contre les installations nucléaires avant ce compromis. La Corée du Nord déclara l'accord caduc en 2002, bien qu'elle n'ait toujours pas reçu les réacteurs promis.

Que cette logique et son discours incendiaire aient affolé la Corée du Nord et suscité chez elle des craintes très réelles n'a rien de surprenant. Quoi que l'Amérique puisse dire maintenant, la Corée du Nord ne doute pas d'être la prochaine cible de la liste noire de l'axe du mal – mais au moment et à l'endroit que choisira l'Amérique quand elle aura fini sa guerre contre l'Irak[1]. Pourquoi, sinon, l'axe du mal ? Pourquoi, sinon, un plan d'urgence envisageant une frappe nucléaire sous prétexte de détruire ses capacités nucléaires ? Pourquoi, sinon, des dizaines de bombardiers B-1 et B-52 dépêchés à Guam au début de 2003 ? Pourquoi, sinon, refuser des discussions bilatérales avec la Corée du Nord alors qu'elle semble avoir pour objectif d'amener les États-Unis à la table de négociations et non dans une guerre ?

De la même façon, George Tenet, directeur de la CIA, a déclaré (le 11 février 2003) devant la commission sur le renseignement du Sénat que l'Iran restait un sujet de préoccupation en raison de son appui au terrorisme – l'accusation même qui a amené l'Amérique à envahir l'Irak. De l'avis d'un observateur, cette militarisation de la politique laisse le gouvernement américain « de plus en plus inféodé à son armée pour conduire sa diplomatie[2] » ; et Thomas Powers de conclure : « Les conséquences paraissent claires : d'abord l'Irak, ensuite

1. Ce que laissent clairement entendre les mots du président dans son discours à la cathédrale nationale (14 septembre 2001), où il déclara : « Ce conflit a commencé à l'heure et dans des conditions choisies par d'autres. Il finira de la manière et à l'heure de notre choix. »

2. Dana Priest, *The Mission : Waging War and Keeping Peace with America's Military*, New York, W.W. Norton, 2003, p. 14.

l'Iran[1]. » D'après Paul Krugman, du *New York Times*, un haut responsable britannique lié à l'équipe Bush rapportait ceci : « Tout le monde veut aller à Bagdad. Ceux qui en ont veulent aller à Téhéran. »

L'Israël du Premier ministre Ariel Sharon partage cette opinion. Ranan Lurie, du Centre d'études internationales et stratégiques de Washington, explique ainsi le point de vue de Sharon : « Il est inconcevable que [les États-Unis] attaquent l'Irak, triomphent, détruisent ses laboratoires et ses arsenaux non conventionnels, rentrent pour une parade de confettis sur Wilshire Boulevard et partent à la plage tandis que l'Iran est toujours là. Imaginez un neurochirurgien qui ouvrirait le cerveau d'un patient atteint de deux tumeurs malignes et n'en ôterait pourtant qu'une seule. En bonne logique, tant qu'on est à l'intérieur du cerveau en question, la même incision sert à exciser la seconde tumeur[2]. » Comme pour donner un coup de pouce à cette logique, l'Iran a annoncé en mars 2003 que (comme la Corée du Nord) il avait entamé de son côté un vigoureux programme d'énergie nucléaire susceptible de produire du plutonium à des fins d'armement, le président syrien Bachar al-Assad affirmant pour sa part que la guerre de l'Amérique contre l'Irak avait pour but de « redessiner la carte de la région » et que la Syrie constituait une cible éventuelle. Cependant que quelques conservateurs favorables qui s'étaient prononcés pour une guerre en Irak

1. Thomas Powers, « War and its consequences », *New York Review of Books*, 27 mars 2003.

2. Cité par Mansour Farhang, « A triangle of Realpolitik : Iran, Iraq and the United States », *The Nation*, 17 mars 2003. Farhang note que Sharon a pressé le président Bush d'attaquer l'Iran « le lendemain du jour où il en aura fini avec Saddam Hussein ».

« passaient d'ores et déjà à l'étape suivante et allaient plus loin peut-être que ne l'envisageait le président, voyant dans le conflit irakien le début d'une "Quatrième Guerre mondiale" » (la guerre froide ayant été, d'après eux, la troisième[1]).

La doctrine de la guerre préventive se répercute sur la politique tant intérieure qu'extérieure. Sortant de sa manche des arguments d'autodéfense classiques et autorisant des mesures plus hostiles envers ce qui n'est pas l'Amérique, elle se réclame des libertés civiques et permet des mesures plus agressives sur le territoire national. La logique des circonstances spéciales, adversaires inédits et autres technologies modifiées ayant servi à légitimer la guerre préventive, rationalise la détention préventive. Comme l'écrit Joseph Lelyveld (pour mieux le dénoncer), le raisonnement est le suivant :

> Les combattants du djihad se distinguent des autres combattants, en ce sens qu'un armistice ou une reddition prononcés d'en haut ne mettront manifestement pas fin à leur lutte. Dans ces circonstances, tout régime de détention doit essentiellement viser à recueillir des renseignements sur le réseau et sur ses cibles, afin d'empêcher de futures agressions. Il est plus important d'agir à titre préventif que de traduire en justice des individus pour des actes antérieurs. Si l'on pense au futur, il est difficile de dire qui parmi les détenus est important – c'est-à-dire dangereux – et qui ne l'est pas. Si l'on s'inquiète avant

1. David E. Sanger, citant l'ancien directeur de la CIA, R. James Woolsey, « Viewing the war as a lesson to the world », *New York Times*, 6 avril 2003, p. B1. Sanger rapporte que, dans la première semaine d'avril 2003, lorsqu'un de ses assistants l'avertit que « son imprévisible secrétaire à la Défense venait d'évoquer le spectre d'un conflit plus étendu [contre la Syrie et l'Iran], le président Bush ne dit qu'un mot – "Parfait" – et se replongea dans ses dossiers ».

> tout d'actions futures, il serait imprudent de libérer des individus ayant déjà prouvé leur adhésion à des mouvements qui, directement ou indirectement, ont soutenu les auteurs des attaques suicides du 11 Septembre[1].

« Certes », comme Paul Wolfowitz lui-même le reconnaît, beaucoup des détenus peuvent « se révéler complètement inoffensifs ». Mais « si nous les mettons au Waldorf Astoria, je ne crois pas que nous les ferons parler[2] ». On est là, bien entendu, sur la pente glissante d'une logique qui a conduit Alan Dershowitz à envisager la légitimité de la torture « légale » à l'ère du terrorisme[3].

La logique de prévention au subjonctif, si déterminante dans le changement de politique intérieure et extérieure récent qui a troublé les amis européens des États-Unis, inspire à l'évidence l'attitude de l'Amérique vis-à-vis de nations comme l'Irak et la Corée du Nord après le 11 Septembre. Mais d'autres présidents s'en sont inquiétés bien avant que le président Bush désigne un axe du mal et promulgue une doctrine de guerre préventive. L'administration Clinton, par exemple, avait envisagé

---

1. Lelyveld, « In Guantánamo », art. cité.
2. Lelyveld, citant Paul Wolfowitz. La citation figurant dans le « Waldorf-Astoria » de Lelyveld émane d'un responsable anonyme.
3. Alan M. Dershowitz, *Why Terrorism Works : Understanding the Threat, Responding to the Challenge*, New Haven, Yale University Press, 2002. Voir le chapitre 4, « Should the ticking bomb terrorist be tortured ? ». Dershowitz légaliserait la torture seulement lorsqu'elle aurait de fortes chances d'être utilisée illégalement de toute façon, préconisant « la demande officielle d'un mandat judiciaire comme condition requise à la torture n'entraînant pas la mort » (p. 158). Mieux vaut un contrôle législatif et judiciaire que le secret de prisons situées hors du territoire, comme celle de Guantánamo Bay.

une frappe de préemption contre l'usine nucléaire nord-coréenne de Yongbyon pendant son premier mandat, et porté un coup très réel à ce qu'on avait pris à tort pour une usine d'armes chimiques soudanaise pendant le second (en 1998). La logique de prévention se trouva codifiée dans la directive présidentielle 62, relative à la « défense contre les menaces non conventionnelles visant le territoire américain et l'Amérique à l'étranger ». Un ancien haut responsable de l'administration Clinton résume la formulation classée secrète de la directive en usant d'une syntaxe contestable : « Si vous pensez que les terroristes auront accès à des armes de destruction massive, le seuil à partir duquel les États-Unis engageront une action militaire est extrêmement bas[1]. »

Cette nouvelle doctrine n'a, de fait, aucune coloration partisane. Dans son programme électoral de 2000, le parti démocrate laissait entendre qu'une scène internationale en mutation exigeait une nouvelle doctrine d'« engagement précoce » : « On s'attaquerait aux problèmes avant qu'ils ne se transforment en crise, et ce aussi près de la source que possible, et en disposant des forces et des ressources voulues pour répondre à ces menaces sitôt leur apparition[2]. » L'engagement précoce n'est pas la guerre préventive, mais pas exactement non plus la légitime défense traditionnelle.

Le président Clinton lui-même avait souvent exprimé ses craintes à l'endroit de l'Irak et de la nécessité de le mettre hors d'état de nuire, craintes que le président

1. Allen et Gellman, « Preemptive strike », art. cité.

2. Norman Dicks, membre de la Chambre des représentants de Washington, discours à la deuxième session de la 43e Convention démocrate du 15 août 2000 à Los Angeles, Californie ; cité en encadré, *New Republic*, 23 septembre 2002.

Bush reprendrait à son compte quatre ans plus tard. Dans une déclaration souvent citée par l'administration Bush, Clinton avait lancé cette mise en garde : « Les prédateurs du XXIe siècle feront encore plus de victimes si nous les laissons développer des arsenaux d'armes nucléaires, chimiques et biologiques et les missiles qui les transporteront [...]. L'Irak de Saddam Hussein en est l'exemple le plus flagrant. » Plus proche de Bush que ce dernier ou lui-même ne l'auraient sans doute souhaité, Clinton terminait par un avertissement : si les États-Unis ne font rien, Saddam Hussein « conclura que la communauté internationale a perdu sa volonté d'agir. Il en déduira alors qu'il peut aller de l'avant et intensifier la reconstruction d'un arsenal de destruction dévastatrice. Et un jour quelconque, d'une façon quelconque, je vous le garantis, il utilisera cet arsenal[1] ».

Même avant le président Clinton, il apparaît clairement que Dick Cheney, en sa qualité de secrétaire à la Défense du président George H.W. Bush à la fin des années 1980, préconisait déjà l'option de la préemption. Dans un document intitulé « Orientations pour la planification de la défense », Cheney faisait valoir que « les États-Unis [devaient] être prêts à utiliser la force au besoin afin d'empêcher la dissémination des armes nucléaires [...], [et devaient] préserver la suprématie militaire des États-Unis et décourager l'apparition d'une superpuissance rivale[2] ». Ces idées suscitèrent des remous à l'époque, et Bush *père** n'y souscrivait pas. Il

1. Jonathan Chait, « False alarm : Why liberals should support the war », *New Republic*, 21 octobre 2002.

2. Michael R. Gordon, « Serving notice of a new US, poised to hit first and alone », *New York Times*, 27 janvier 2003, p. A1.

* En français dans le texte. (*NdT*)

leur faudrait attendre Bush *fils** et le choc du 11 Septembre.

Compte tenu du penchant de l'actuel président pour les propos moralisateurs, on notera avec intérêt que la doctrine Bush n'invoque pas la notion de guerre juste – l'administration Clinton ou ses prédécesseurs de la guerre froide non plus d'ailleurs. Le débat sur la guerre juste touche à des arguments religieux et moraux de portée universelle, lesquels diffèrent du tout au tout de la doctrine de guerre préventive[1]. On a parfois confondu, cependant, les arguments en faveur de l'intervention humanitaire avec ceux prônant la prévention. Mais l'ingérence humanitaire est *sui generis*. À la différence de la logique de guerre préventive américaine, elle ne se fonde pas sur l'affirmation d'un caractère exceptionnel et donne les meilleurs résultats quand elle est conçue dans le cadre du multilatéralisme et du droit international (qui reconnaît les droits des peuples soumis à la persécution et au génocide – donc la Convention sur le génocide). La guerre tribale au Rwanda entre Hutus et Tutsis (envenimée par la virulence de médias gouvernementaux) et les campagnes de « nettoyage ethnique » dans les Balkans constituent peut-être les deux exemples récents les mieux connus, où l'on a vu des internationalistes libéraux (comme David Rieff et Michael Ignatieff) croire qu'une intervention américaine (et/ou européenne

---

* En français dans le texte. (*NdT*)

1. Pour le meilleur exposé philosophique du débat sur la guerre juste, voir Michael Walzer, *Just and Unjust Wars : A Moral Argument with Historical Illustrations*, New York, Basic Books, 1977. Pour une analyse de la terreur dans le contexte de la guerre juste, voir Jean Bethke Elshtain, *Just War Against Terror : The Burden of American Power in a Violent World*, New York, Basic Books, 2003.

et onusienne) se justifiait, malgré l'absence de menace directe contre les États-Unis ou contre leurs intérêts.

Or, tandis que certains partisans de l'intervention humanitaire ont fini par soutenir l'intervention en Irak au nom des conceptions humanitaires (Saddam Hussein était, après tout, un oppresseur monstrueux), la dialectique de l'intervention humanitaire et celle de la guerre préventive américaine sont deux choses distinctes. L'ingérence humanitaire définit en effet une doctrine se prêtant à une vocation universelle : elle appelle tous les États et l'organisation internationale à intervenir, et elle le fait pour défendre non pas l'État intervenant, mais d'autres États ou populations incapables de se défendre.

Le raisonnement humanitaire a fourni une position de repli à l'administration Bush en Irak (Saddam Hussein était un tyran brutal et il avait employé des armes chimiques pendant sa guerre contre l'Iran ; abattre son régime revenait à faire œuvre de charité envers les Irakiens), mais il est évident que faire barrage au terrorisme par le biais du désarmement, annuler la menace d'armes de destruction massive et changer le régime primaient, et qu'en l'absence de ces arguments ni l'opinion américaine ni même l'administration n'auraient soutenu une guerre « simplement » humanitaire. Partir en guerre contre l'Irak résulta clairement du 11 Septembre, de la situation sans précédent et des obligations spéciales nées ce jour fatidique – censées doter les États-Unis d'un droit spécial à mener une guerre préventive, dénié aux autres nations (par exemple, à l'Inde contre le Pakistan au sujet du Cachemire).

Les théoriciens de la guerre juste pourraient certes alléguer que les idéaux exigeants de l'Amérique lui font une obligation spéciale de participer à des guerres humanitaires contre des tyrans qui ne constituent par ailleurs aucune menace pour les États-Unis, mais ils soutiendront que les autres nations ont la même obligation. Les théoriciens de la guerre préventive, en revanche, affirment que la destinée spéciale de l'Amérique l'autorise à désarmer des adversaires potentiels et à démocratiser des tyrans potentiels parce que sa propre existence est spéciale et mérite des mesures spéciales – un raisonnement interdit aux autres nations. En général, les arguments en faveur de la guerre juste s'ancrent dans des principes universels qui battent en brèche le raisonnement fondé sur l'exception : en théorie, toutes les nations, sans considération de culture ou de caractère spécial, ont l'obligation, disons, de mettre fin au génocide au Rwanda ou d'empêcher le nettoyage ethnique au Kosovo – aucun lien, ici, avec un quelconque caractère exceptionnel. Mais quand les Français tirent de leur relation particulière avec la civilité l'obligation de civiliser les autres nations (la « mission civilisatrice »), quand Rudyard Kipling se réclame d'un « noblesse oblige » qui permit à la Grande-Bretagne de rationaliser l'existence de ses colonies, ou quand Teddy Roosevelt allègue la supériorité raciale de l'Amérique pour justifier ses guerres de libération coloniale contre l'Espagne, la théorie de la guerre juste n'est pas seule en jeu. Là, le droit moral invoque un attribut particulier, non un principe universel. Ainsi, lorsque les États-Unis se référaient à leur vertu spéciale ou à leur destinée manifeste pour bâtir un empire, il s'agissait de rôle exceptionnel et non de guerre juste. Rudyard Kipling, sinon le président Bush, comprit au moins que ce rôle exceptionnel trouvait sa récompense dans sa propre vertu. « Assumer le fardeau de l'homme blanc », écrivait Kipling, ne pouvait être que

récolter ce qui toujours fut sa rétribution –
Les reproches de ceux qu'on rend meilleurs,
La haine de ceux qu'on protège*.

Du point de vue américain, ce rôle exceptionnel signifie que les autres nations ne disposent d'aucun droit particulier à déployer de leur propre chef des stratégies préventives. Mais du point de vue des autres pays, en se ralliant à la doctrine préventive, l'Amérique a créé un précédent majeur, d'autant qu'elle se voit en porte-étendard et agent normalisateur de la communauté mondiale. En se fondant sur le modèle américain, mais sans tenir compte des allégations d'une Amérique qui ancre son droit de préemption dans son statut spécial, le Pakistan peut légitimer une guerre préventive contre l'Inde, anticipant une frappe indienne au Cachemire ; la Corée du Nord peut justifier une attaque contre la Corée du Sud, anticipant (en se fondant sur le discours américain) une action américaine dirigée contre elle ; et l'Irak aurait pu rationaliser une frappe préventive contre les États-Unis ou contre leurs alliés, anticipant ce qui était, somme toute, l'intention très peu secrète de l'Amérique de faire la guerre à Bagdad. L'idée paraîtra saugrenue, mais dans le monde des relations internationales crispé sur la notion d'intérêt, pourquoi Saddam Hussein se verrait-il interdire la doctrine de préemption de l'Amérique ? Il pouvait affirmer, et convaincre, que les États-Unis étaient résolus à faire la guerre à son gouvernement, qu'ils possédaient des armes de destruction massive et cherchaient à en acquérir davantage, et qu'ils étaient dirigés par un gouvernement manifestement hostile à

* « Reap his old reward / The blame of those ye better, / The hate of those ye guard. » *(NdT)*

l'Irak. Ou l'Amérique changeait de régime et renonçait à ses armes de destruction massive, ou elle devait s'attendre à une frappe irakienne !

Moins saugrenu, comme je l'ai déjà montré, la Corée du Nord semble s'orienter vers une attitude très proche de la stratégie de guerre préventive lorsqu'elle décèle dans plusieurs positions américaines une profonde hostilité à son existence même en tant que régime. Ce qui, couplé avec le refus américain de négocier, a suscité assez de combativité pour amener les Nord-Coréens à brandir la menace d'une sorte de « catastrophe » préventive de leur cru : la remise en activité de leurs usines de production de plutonium et la reprise de leurs efforts pour fabriquer des armes nucléaires.

Le défaut de cette notion d'« exceptionnel » est donc de convaincre l'Amérique que ses alliés, voire ses ennemis, se rangeront au plaidoyer *pro domo* par lequel elle se persuade elle-même de posséder des prérogatives extralégales de nature unique, fondées sur sa vertu exceptionnelle. Même s'il existe des raisons de penser que les États-Unis ont mené une politique étrangère plus vertueuse que la grande majorité des nations, le reste du monde peut difficilement accepter cette vertu américaine comme critère universel. Imaginez un droit international qui pose : « Les nations ne peuvent recourir à la guerre qu'en cas de légitime défense, sauf les États-Unis, qui, parce qu'ils sont exceptionnels, peuvent le faire chaque fois qu'ils le souhaitent. » Les Américains auront du mal à adhérer à cette interprétation cynique de leur doctrine, mais les adversaires de l'Amérique, et même certains de ses amis, infiniment moins. C'est parce que l'Amérique se révèle incapable de voir ses propres mobiles à travers cette lorgnette que même ses amis et ses alliés la jugent arrogante.

Mais le problème, plus grave, du raisonnement posant la vertu démocratique de l'Amérique n'est pas qu'il fournit une couverture hypocrite à des intérêts nationaux peu honorables (encore, comme le souligne William James, que ce soit effectivement le cas), mais que, même là où vertu il y a, la doctrine échoue à l'examen fondamental : celui de la légalité internationale. Le caractère exceptionnel ne satisfera jamais au principe kantien selon lequel la moralité ou la légalité d'un précepte se mesure à sa capacité d'universalisation. Si la guerre préventive est morale pour l'Amérique, le reste du monde a le même droit que l'Amérique à la légitime défense préventive (exactement comme le reste du monde a le même droit que l'Amérique à l'autonomie et à la démocratie). Ou alors, si l'Amérique dénie ce droit aux autres, son propre recours à la prévention ne peut être justifié sur le plan moral. L'argument de l'exceptionnel n'a qu'un objectif : exempter les États-Unis des préceptes universels en matière de guerre. Ils veulent persuader le reste du monde que leur moralité exceptionnelle garantit l'éthique de leur politique. Mais ce sont les préceptes moraux qui définissent les agents moraux, et non l'inverse.

La doctrine de guerre préventive de Bush postule le droit de l'Amérique à prendre des mesures contre ceux qu'elle perçoit comme ses ennemis avant que ceux-ci ne la frappent réellement. Pour être reconnue à l'extérieur des États-Unis, nous l'avons vu, elle doit être généralisée afin de satisfaire à la règle d'or du « Faire pour les autres* ». L'Allemagne, la Russie, le Pakistan et – mais

* « Faire pour les autres ce qu'ils ne peuvent faire pour eux-mêmes. » Voir le chapitre 8. (*NdT*)

oui ! – l'Irak et la Corée du Nord eux-mêmes doivent détenir ce droit de préempter ce qu'ils estiment être une agression potentielle ou imminente dirigée contre eux par leurs ennemis. Certes, et les États-Unis le savent, cette option ne conduit qu'à l'anarchie : chaque nation décidant de déclarer la guerre quand et où elle le juge bon. La doctrine n'échoue pas seulement au test de la légalité, mais encore à celui du réalisme. Aucune nation en effet, même aussi puissante que l'Amérique, ne peut fonder sa politique étrangère sur une argumentation spéciale interdite aux autres. Aucune nation ne peut, objectivement, tirer son épingle du jeu dans un monde interdépendant, sauf à assurer d'une façon ou d'une autre son empire permanent sur la planète entière – ce dont aucune nation n'est capable dans un monde interdépendant.

5

L'« ancienne » doctrine de dissuasion

Le président ne permettra à aucune puissance étrangère
de rattraper l'énorme avance dont jouissent les États-Unis
depuis la chute de l'Union soviétique il y a plus de dix ans [...].
Nos forces seront assez puissantes pour dissuader d'éventuels
adversaires d'accroître leur arsenal militaire dans l'espoir
de surpasser, ou d'égaler, la puissance des États-Unis.
Stratégie nationale de sécurité des États-Unis d'Amérique,
septembre 2002.

Nous ne pouvons considérer que l'invasion armée
et l'occupation d'un autre pays sont des moyens pacifiques
ou des moyens appropriés pour garantir la justice
et la conformité avec le droit international.
Dwight EISENHOWER, 1957[1].

La doctrine nationale de sécurité se démarque sans ambiguïté de l'ère de la dissuasion, faisant valoir que : « Pendant la guerre froide, en particulier après la crise de Cuba, nous étions confrontés à un adversaire partisan du *statu quo*, peu enclin à prendre des risques. La dissuasion

1. Le président Eisenhower, qui s'était opposé à l'invasion de l'Égypte par l'Europe et Israël en 1956, critiquait ici Israël qui continuait d'occuper (partiellement) l'Égypte après le retrait, sous la pression américaine, de la France et de la Grande-Bretagne.

était un mode de défense efficace. Mais la dissuasion fondée sur des menaces de représailles ne servira pas à grand-chose avec des États de non-droit prêts à prendre tous les risques et à jouer aux dés la vie de leur population et la prospérité de leur pays. » Bien que plusieurs stratèges américains des années 1940 et 1950 aient vu d'abord les nazis, puis les Soviétiques comme des adversaires très peu suspects d'opter pour le *statu quo* et de refuser le risque, la présentation que fait le président Bush d'une situation radicalement modifiée garde néanmoins une certaine force de persuasion. Comme le déclara le président lors d'une conférence de presse en janvier 2003, « après le 11 Septembre, la doctrine de l'endiguement ne tient plus debout[1] ». Ajoutez à cela que, une fois acquises, les technologies de destruction massive peuvent imposer des coûts instantanés ; on comprend alors que le président Bush ait pu laisser entendre que si l'Amérique attendait la preuve irrécusable des intentions d'un adversaire terroriste, celle-ci pourrait se révéler être un nuage en forme de champignon – signal qu'il refusait d'attendre.

Le document de stratégie nationale de sécurité du président Bush note que les concepts d'autodéfense traditionnels reconnaissaient la « menace imminente » comme base possible d'action préventive, mais une menace imminente traditionnellement comprise comme « une mobilisation visible d'armées, de flottes et de forces aériennes se préparant à attaquer ». Dans le nouveau contexte d'un monde assailli par des terroristes, « nous [les États-Unis] devons adapter le concept de menace imminente aux capacités et aux objectifs de nos adversaires d'aujourd'hui. Les États

1. George W. Bush, conférence de presse avec le Premier Ministre Tony Blair, 31 janvier 2003.

voyous et les terroristes n'ont pas l'intention de se conformer, pour nous attaquer, aux méthodes classiques. Ils savent que de telles attaques seraient vouées à l'échec. Au contraire, ils comptent sur des actes de terreur et, éventuellement, sur l'utilisation d'armes de destruction massive – des armes que l'on peut aisément cacher, livrer secrètement, et utiliser sans sommation ». Dans de telles conditions, il est clair que « les États-Unis ne resteront pas sans rien faire pendant que les dangers s'amoncellent ». Agir ainsi, pour reprendre la phrase de Paul Wolfowitz, aigle très en vue du département de la Défense, serait « un jeu de dés imprudent[1] ».

Pourtant, malgré tout ce plaidoyer *pro domo*, en quoi, lorsqu'on en vient aux jeux de dés imprudents, la logique de guerre préventive diffère-t-elle de la logique de dissuasion ? En tant qu'instrument d'action directe contre les terroristes, elle est manifestement très différente. Les terroristes et leurs organisations constituent une proie légitime et doivent être considérés en tant que tels. Pour reprendre l'image de Hobbes, ils sont revenus à l'« état de nature », où n'importe quel individu, groupe ou nation a le droit de les abattre avant qu'ils puissent entreprendre une action hostile. Donc la guerre au terrorisme de l'administration Bush, qui recourt contre des individus suspects de terrorisme à l'assassinat, à la mise hors d'état de nuire, à l'arrestation, à la détention et à l'expropriation de leurs avoirs financiers et moyens de communication, apparaîtrait pleinement justifiée, au moins une fois qu'une première agression terroriste aura été commise. Cette agression met les auteurs presque littéralement en guerre avec l'Amérique (et

1. « What does disarmament look like ? », allocution prononcée devant le Council on Foreign Relations, New York, 23 janvier 2003.

les autres nations qu'ils frappent) et justifie, même au nom de la légitime défense traditionnelle, l'emploi de toutes les armes contre eux sans attendre une nouvelle attaque ou la preuve définitive que des terroristes isolés ou des cellules terroristes vaguement liés sont, à titre individuel ou personnel, responsables d'actes commis au nom de l'idéologie d'anéantissement à laquelle ils adhèrent. Les organisations terroristes mondiales de cette nature sont vouées à la violence par des engagements extrémistes et une idéologie fondamentaliste ; elles sont des criminels indéterminés qui se sont placés sans ambiguïté hors de la structure de l'État souverain ; elles sont les guerriers autoproclamés de l'offensive du terrorisme contre l'Amérique.

La guerre au terrorisme n'est donc en rien une guerre préventive. Comme le président Bush l'a fait observer à juste titre en réagissant à une prétendue fuite, après le 11 Septembre, selon laquelle il avait subrepticement « entamé » une guerre : « Ils n'ont rien compris, la guerre a déjà commencé. Elle a commencé le 11 Septembre[1]. » La guerre préventive contre les terroristes est de nature réactive, puisque seuls des actes déclarés (ou non) désignent d'abord l'adversaire comme terroriste. La guerre de l'Amérique au terrorisme est de fait une guerre de riposte conventionnelle (même conduite avec des moyens non conventionnels) contre un agresseur qui a déjà montré le *smoking gun* aux Américains.

La doctrine de guerre préventive pose un problème lorsque la logique de guerre contre des terroristes dont on connaît les actes quand bien même on ignore leur origine se voit appliquée à des États dont on connaît l'adresse

1. Cité par Woodward, *Bush s'en va-t-en guerre*, *op. cit.* (notre traduction).

mais dont on ignore les liens avec le terrorisme. Ici, la logique au subjonctif de guerre préventive entre en jeu, soulevant des questions sur son argumentation imprévisible en perpétuel dérapage : de la certitude au doute, des « Notre ennemi a commis l'agression » aux « Notre ennemi serait en mesure de/pourrait/risquerait peut-être de commettre une agression ». La guerre préventive en tant que doctrine vise des agents terroristes connus ayant commis des actes agressifs et destructeurs, mais dont on ne peut dire en toute certitude où ils se trouvent ni d'où ils viennent ; elle a cependant été appliquée à des États que l'on sait localiser et dont l'identité ne laisse subsister aucun doute, même si leurs liens avec l'agression proprement dite sont rien moins que certains. Des formulations comme « les États qui accueillent » ou « les États qui aident » les terroristes remplacent des explications causales explicites prouvant que les États incriminés sont des agresseurs réels, voire imminents. Afin de présenter des États souverains – qui ne répondent manifestement pas aux caractérisations de la guerre préventive – comme des cibles justifiées, on introduit des qualificatifs flous, comme « État voyou », qui établissent un lien présumé entre des États pouvant être vaincus sur le plan militaire et des terroristes infiniment plus insaisissables.

Immédiatement après le 11 septembre 2001, le président Bush déclara la guerre au terrorisme. Le 17 mars 2003, en annonçant l'invasion de l'Irak sans le soutien des Nations unies, il affirmait qu'attendre encore serait « suicidaire », ajoutant : « La sécurité du monde exige de désarmer Saddam Hussein maintenant. » Le glissement du premier but amplement plébiscité – anéantir le terrorisme – au second largement désavoué – renverser Saddam Hussein – s'explique en partie par la peur : la peur instillée par des actions terroristes ignobles, mais aussi la peur commercialisée et accrue par la réaction de l'administration face à la terreur. Sur sa pente glissante, les « États voyous » devinrent des cibles fixes susceptibles d'être identifiées, localisées et attaquées, mais des cibles privées de leurs droits souverains internationalement reconnus, qui auraient dû sinon les mettre à l'abri d'une attaque. Ces droits leur furent confisqués à cause de l'étiquette de « voyou » qui déniait aux États cibles leur qualité d'entités souveraines légitimes ayant le droit de gouverner leur territoire et leur peuple. Dans la période qui précéda immédiatement le début de la guerre d'Irak, l'administration Bush se mit à qualifier l'Irak non plus seulement d'« État voyou », mais également d'« État terroriste ». Pendant la même période, le secrétaire à la Défense Donald Rumsfeld parla de la Corée du Nord comme d'un « régime terroriste »[1].

Cette logique bien huilée – qui permet à l'attention de glisser d'agents terroristes ne se réclamant d'aucune patrie à des États « commanditaires » du terrorisme – ouvre un monde d'incertitude en matière de causalité, de prévisibilité et de certitude. Alors que la nouvelle doctrine nationale de sécurité fait valoir, avec des arguments persuasifs, que la nouvelle qualité d'« apatrides » des agresseurs terroristes les immunise contre la dissuasion, les commanditaires terroristes (là où ils peuvent être clairement étiquetés comme tels) sont loin de ne se réclamer d'aucune patrie. Les États se révèlent vulnérables : ils ont des immobilisations, des cibles majeures, des armements conventionnels et

---

1. Le président Bush qualifia l'Irak d'« État terroriste » lors de son apparition conjointe avec le secrétaire d'État Colin Powell après le discours de ce dernier devant le Conseil de sécurité en février 2003. Le commentaire de Donald Rumsfeld fut repris dans le *New York Times* du 7 février 2003 (James Dao, « Nuclear standoff : Bush administration defends its approach to North Korea », p. A13).

des intérêts persistants, parmi lesquels leur instinct de conservation. Ces attributs traditionnels en font des candidats parfaitement adaptés à la dissuasion et à l'endiguement, doctrines sur lesquelles le gouvernement américain fait à présent l'impasse[1]. Appliquer une doctrine nationale de sécurité conçue pour des « martyrs ne se réclamant d'aucune patrie », qui ont bel et bien déclenché une guerre,

1. Kenneth Pollack, ancien analyste de la CIA, a montré que la dissuasion, « solution de rechange raisonnable » si efficace dans le cas de « l'Union soviétique pendant quarante-cinq ans », ne donnerait aucun résultat en Irak, car Saddam Hussein est « involontairement suicidaire ». Parce que « ses calculs se fondent sur des idées qui ne correspondent pas forcément à la réalité et sont souvent imperméables aux influences extérieures », et compte tenu de son « passé d'erreurs d'appréciation catastrophiques », la seule question qui se pose aux États-Unis est « la guerre maintenant ou la guerre plus tard – une guerre sans armes nucléaires ou une guerre avec celles-ci » (« Why Iraq can't be deterred », *New York Times Magazine*, 26 septembre 2002). Pour des détails, voir son *The Threatening Storm : The Case for Invading Iraq*, New York, Random House, 2002. On peut poser à l'inverse que le régime de Saddam Hussein a tenu trente et un ans non par « chance » (l'explication avancée par Pollack), mais parce que Saddam Hussein a très bien su interpréter les carottes et les bâtons externes et y a répondu tout aussi correctement. L'agression de l'Irak contre le Koweït – sa plus grande « erreur d'appréciation » – résulta tout autant de l'absence d'intentions claires de la part de l'Amérique (l'ambassadrice américaine en Irak en 1991 parla pour ne rien dire, alors qu'elle aurait dû mettre en garde l'Irak contre les terribles conséquences de sa décision) que de son manque de rationalité personnel, thèse que renforce la réactivité du dirigeant irakien aux menaces nucléaires américaines s'il déployait des armes biologiques et chimiques dans cette guerre. Mais, surtout, Pollack présente d'excellents arguments pour faire la distinction entre les États soucieux de leurs intérêts et les terroristes, en essayant d'exempter Saddam Hussein de sa logique par ailleurs convaincante. N'ayant pas réussi en définitive à dissuader Saddam Hussein, la menace de guerre préventive n'a pas répondu aux attentes de l'administration Bush.

par des actes terroristes, à un État territorial par ailleurs innocent d'un acte d'agression caractérisé n'est pas seulement illogique : c'est erroné, inefficace, et même inique. L'opposition généralisée à la guerre en Irak avant qu'elle ne devienne un fait accompli est précisément née de cette prise de conscience.

Le glissement ici de terroristes ne se réclamant d'aucune patrie à des États ne doit rien au hasard. Les terroristes sont déjà difficiles à débusquer, sans même parler de les mettre hors d'état de nuire, notamment en utilisant des armes conventionnelles du calibre qui définit une superpuissance moderne comme les États-Unis. Dans le compte rendu que nous livre Bob Woodward, le secrétaire à la Défense Donald Rumsfeld ne cachait pas sa frustration au tout début de la campagne en Afghanistan : « La liste des cibles ne causera pas grand tort aux gens à qui nous voulons porter tort », regrettait-il. Le général Richard B. Myers émettait lui aussi des doléances : « Nous avons une armée qui est puissante face à des cibles fixes. Nous sommes moins bons face à des cibles mobiles[1]. » C'était le régime des talibans qui les occupait, mais leurs remarques montrent la difficulté de combattre le terrorisme avec des armes conventionnelles lorsque les vrais ennemis opposent des « réseaux » et le « fanatisme », et non des « cibles de haute valeur ».

L'Irak, en revanche, sur le papier l'État le mieux armé de tous les pays arabes, alignait (avant la guerre) 36 000 soldats d'élite et au moins 100 000 combattants, 200 chars d'assaut, 316 avions, quelque 90 hélicoptères et 3 000 batteries de DCA. Bien qu'impressionnant, cet arsenal conventionnel était de même nature que la puis-

1. Woodward, *Bush s'en va-t-en guerre*, *op. cit.*, p. 193.
2. *Ibid.*, p. 19.

sance de feu, supérieure, des Américains, et pouvait donc être détruit avec une relative facilité – on en eut vite la confirmation. « Dans la mesure où nous définissons notre tâche au sens large, et incluons ceux qui soutiennent le terrorisme, nous pourrons frapper les États. Et il est plus facile de trouver les États que de mettre la main sur Ben Laden[1] », déclarait apparemment sans ironie le vice-président Dick Cheney en réfléchissant à la stratégie à adopter. Comme l'ivrogne cherchant sur le mauvais trottoir les clés qu'il a laissées tomber parce qu'« en face c'est mieux éclairé », les États-Unis préfèrent les États qu'ils peuvent localiser et battre à plate couture aux terroristes qu'ils sont incapables ne serait-ce que de repérer. La supériorité militaire de l'Amérique dépend de la concordance des armes : quand ses adversaires possèdent le même type d'armement, mais en quantité inférieure, d'une technologie moins perfectionnée et déployé avec moins de savoir-faire, sa victoire est assurée.

Mais les pommes hégémoniques et les oranges invisibles ne se comparent pas en termes d'effectifs guerriers, et ont infiniment moins de chances de produire des guerres victorieuses pour les pommes. Les bombes intelligentes, les fantassins bien entraînés ou la dissuasion nucléaire ne triompheront pas de pirates de l'air en mal de martyre. Alors, autant les laisser dans leurs repaires inaccessibles au cœur des montagnes et dans leurs taudis anonymes des villes de la planète, et s'en prendre aux élites des États voyous à Kaboul et à Bagdad. La vulnérabilité l'emporte sur la culpabilité. Sauf que des États comme l'Irak et la Corée du Nord se prêtent mieux, de par leur nature même, à des stratégies de dissuasion et

1. *Ibid.*, p. 63.

d'endiguement qu'à la guerre préventive, et que lorsqu'on leur applique cette doctrine elle se dégonfle vite et ressemble beaucoup à un mode de dissuasion spécifique – la préemption en tant que « rétablissement violent des termes de la dissuasion », pour citer la phrase lapidaire de Tod Lindberg[1].

L'administration Bush ne s'en cache pas : au début de 2003, un de ses hauts fonctionnaires dont le nom n'est pas cité reconnaissait qu'il existait aussi dans la nouvelle stratégie de préemption « un élément de dissuasion pour les voyous[2] ». Face à une Corée du Nord agressive qui profitait visiblement de ce que l'Amérique avait d'autres chats à fouetter en Irak, un porte-parole de Bush admettait faiblement que le pays n'était en aucun cas en position de concrétiser les menaces implicites de sa nouvelle doctrine préventive, du moins quand un État voyou potentiel détenait déjà des armes nucléaires : « Je ne dis pas que nous n'avons pas d'options militaires, lançait l'assistant excédé, je dis juste que nous n'avons pas les bonnes[3]. » Là, le jeu tourna vite au ballet de dissuasion typique, la Corée du

1. Lindberg, « Deterrence and prevention », art. cité.

2. Gordon, « Serving notice », art. cité.

3. David E. Sanger, « Nuclear anxiety : US eases threats on nuclear arms for North Korea », *New York Times*, 30 décembre 2002, p. A1. Leon Fuerth, ancien conseiller du vice-président Al Gore en matière de politique étrangère, faisait observer dans un article d'opinion que ne rien faire face aux provocations de la Corée du Nord risquait de transformer le discours de guerre préventive du président Bush en « bluff le mettant au pied du mur », avec pour résultat que « nous nous préparons à une guerre avec un pays qui pourrait finir par acquérir des armes nucléaires, tandis qu'un autre pays se rapproche du moment où il aura la capacité de les produire en masse » (Leon Fuerth, « Outfoxed by North Korea », *New York Times*, 1er janvier 2003, p. A15).

Nord brandissant la menace de l'armement nucléaire, les États-Unis parlant bien haut d'isolement, de sanctions et de « non au chantage », tout en maintenant un porte-avions dans la région et en préparant deux douzaines de bombardiers stratégiques à rallier Guam, à portée de frappe des usines nucléaires nord-coréennes de Yongbyon. Après la guerre en Irak, un haut responsable du département de la Défense (s'exprimant sous couvert d'anonymat) déclara sans ambages : « Nous engageons en Corée le même type de ressources et de capacités qu'en Irak. Et nous pensons que notre dissuasion là-bas s'en trouvera beaucoup plus crédible et beaucoup plus vigoureuse[1]. »

À ce point précis, signalé par la stratégie concrète de l'Amérique en Irak et en Corée du Nord, la différence entre guerre préventive et dissuasion devient carrément floue. Comme Charles Krauthammer l'a souligné à juste titre, « l'option de préemption, si elle est retenue, jouera le rôle d'une forme de dissuasion supérieure. La préemption vise à dissuader les États non pas d'employer des armes de destruction massive, mais d'abord d'en acquérir[2] ». Mais une fois qu'elle est déployée en tant que forme de dissuasion « supérieure », de « rétablissement brutal des termes de la dissuasion », elle cesse complètement d'être une guerre préventive *stricto sensu*. La guerre préventive a essentiellement pour objectif d'intervenir avec vigueur dans les affaires intérieures de régimes ennemis et d'organisations terroristes et de rendre inutile la manipulation de comportement indirecte, rationnelle qui définit l'endiguement et la dissuasion. Toute forme de dissuasion est une

1. Cité par Thom Shanker, « Lessons from Iraq include how to scare Korean leader », *New York Times*, 12 mai 2003, p. A17.

2. Charles Krauthammer, « The obsolescence of deterrence », *Weekly Standard*, 9 décembre 2002, p. 24.

sorte de consentement au chantage. La guerre préventive élude toute négociation, donc tout chantage.

En bombardant l'usine nucléaire irakienne d'Osirak en 1981, les Israéliens rendirent caduque la question de savoir comment dissuader l'Irak d'utiliser ou d'acquérir des armes de destruction massive[1]. Là, il s'agissait d'une authentique frappe préventive. Le plan – non mis à exécution – de Clinton consistant à détruire l'usine nucléaire coréenne de Yongbyon en 1994 aurait abouti au même résultat. Au lieu de quoi l'administration Clinton parvint à un compromis, l'accord-cadre *(Agreed Framework)* par lequel les États-Unis fournissaient à la Corée du Nord du pétrole et l'aidaient à construire une centrale nucléaire à Yongbyon, moyennant l'engagement de celle-ci à ne pas développer d'armes nucléaires. Le plutonium qui peut servir à la fabrication d'armes est un sous-produit de l'uranium irradié (le combustible utilisé dans les centrales nucléaires), et la Corée du Nord acceptait la présence d'inspecteurs sous les auspices de l'Atomic Energy Commission afin de garantir qu'elle ne détournerait pas à des fins militaires son accès à l'énergie nucléaire. Même s'il envisagea l'option de la guerre, le président Clinton ne laissa jamais ses propos l'engager dans une riposte militaire et put ainsi dénouer la crise pacifiquement, empêchant ce qui aurait pu avoir des conséquences catastrophiques en termes de vies humaines – même si cette décision, comme l'ont fait observer ses détracteurs, a eu l'effet regrettable de reporter la crise dans le siècle

1. À l'époque, cette frappe préemptive fut dénoncée tout net non seulement par les censeurs traditionnels d'Israël comme la France, mais aussi par la Grande-Bretagne (qui la qualifia de « grave violation du droit international ») et par l'administration Reagan.

actuel, exigeant des formes plus traditionnelles de négociation, d'endiguement et de dissuasion.

Le glissement de la « nouvelle » doctrine de guerre préventive à une stratégie de négociation, menaces et éléments d'incitation beaucoup plus classique, qui définissait la doctrine traditionnelle de dissuasion-endiguement, s'est fait en toute limpidité, mais il a échappé aux stratèges en mal de pureté doctrinale. Peu avant le déclenchement de la guerre d'Irak, par exemple, John J. Mearsheimer et Stephen M. Walt revinrent à la charge : « Les États-Unis sont devant un choix clair en Irak : l'endiguement ou la guerre préventive [...]. En réalité, la guerre n'est pas nécessaire[1]. » Une chose leur échappait : la doctrine Bush avait utilisé la guerre préventive comme politique d'endiguement tout au long des mois qui avaient débouché sur la guerre, et le déclenchement du conflit mit en évidence l'échec de cette politique de dissuasion-endiguement. Le président Bush commença sa guerre au terrorisme en appliquant une doctrine de guerre clairement préventive qui semblait offrir le choix posé par Mearsheimer et Walt. Il confirma le caractère préventif de sa riposte en qualifiant les terroristes d'« agents du mal » et en leur réservant un châtiment de son cru non négociable. Mais, à mesure que le temps passait et qu'on ne parvenait pas à débusquer les terroristes, il parut s'être engagé sur la pente glissante, qualifiant d'« axe du mal » une sélection très arbitraire d'États souverains et modifiant par là même la logique morale tout en élargissant le champ. L'axe du mal de qui ?

1. John J. Mearsheimer et Stephen M. Walt, « Keeping Saddam Hussein in a box », *New York Times*, 2 février 2003, sect. 4, p. 15. Mearsheimer et Walt présentaient une critique « réaliste » de la stratégie de guerre appliquée en Irak dans le numéro de janvier 2003 de *Foreign Policy*, faisant valoir que la dissuasion seule aurait parfaitement fonctionné en l'occurrence.

Pourquoi pas la Libye ou Cuba, ennemis « voyous » des États-Unis aussi imprévisibles et despotiques que les puissances du nouvel axe ? Pourquoi pas le Viêt-nam, qui avait certes vaincu les États-Unis, mais était devenu un partenaire commercial ? Ou, à cet égard, pourquoi pas la Chine, qui représente le régime communiste le plus puissant du monde et continue de violer impunément les droits de l'homme ? Il ne peut s'agir des rapports avec le terrorisme, car la Corée du Nord n'en a aucun et l'administration n'a jamais réussi à prouver que l'Irak était lié d'une façon ou d'une autre avec Al-Qaida, et certainement pas d'aussi près que, disons, les services de renseignement pakistanais ou saoudiens, ni en meilleure position pour vendre ses armes de destruction massive que, par exemple, la Tchétchénie ou le Kirghizistan.

Quoi qu'il en soit, il est beaucoup plus difficile de désigner un coupable lorsqu'il s'agit de soutenir ou héberger des terroristes que d'accuser directement des terroristes. Et infiniment plus ardu de condamner des entités collectives – un État, son gouvernement, sa population, sa culture – que des individus. Appliquée à des États, la logique de guerre préventive n'a que faire de ces subtilités. Comme le notait avec justesse l'historien conservateur Tony Judt, puisqu'il ne semble exister « aucun lien clairement établi entre Saddam Hussein et Al-Qaida [...], les partisans d'une guerre avec l'Irak soutiennent maintenant qu'un tel lien ne peut être exclu et doit donc être "préempté"[1] ».

Confrontée à une crise nord-coréenne qu'elle ne souhaitait pas alors qu'elle s'apprêtait à provoquer une crise irakienne qu'elle voulait, l'administration Bush tâtonna

1. Tony Judt, « The wrong war at the wrong time », *New York Times*, 20 octobre 2002, sect. 4, p. 11.

avant de mettre au point un langage capable d'empêcher sa doctrine de guerre préventive de sombrer dans l'incohérence totale. Le secrétaire à la Défense Donald Rumsfeld expliqua la différence en ces termes : « Le régime irakien fait tous les ans un pied de nez aux Nations unies depuis un bon bout de temps. La situation en Corée du Nord est très récente [...] [et travailler sur le plan diplomatique avec les voisins de la Corée] me paraît une façon de procéder parfaitement rationnelle[1]. » Alors même que la Corée du Nord menaçait à la fin de 2002 de se retirer du Traité de non-prolifération nucléaire et d'attirer la Corée du Sud (dirigée par un nouveau président élu grâce au sentiment antiaméricain ambiant et qui n'avait pas encore fait ses preuves) dans un antiaméricanisme pancoréen, le président Bush se contenta de déclarer : « Je ne crois pas qu'il s'agisse d'un bras de fer militaire, c'est un bras de fer diplomatique[2]. » Cherchez la différence.

La seule façon de faire la distinction entre ces deux dossiers tout en préservant le discours moral consistait à montrer un Irak encore plus maléfique que sa jumelle de l'axe du mal. Le secrétaire d'État Colin Powell présenta son argumentation sous cette forme : après tout, à la différence de la Corée du Nord, Saddam Hussein a utilisé des armes de destruction massive chimiques et, ce faisant, « a démontré des intentions infiniment plus destructrices, cherchant à dominer le Proche-Orient ». En outre, même si elle détient déjà des armes nucléaires, la Corée du Nord est « un pays dans une situation

---

1. Cité par Richard W. Stevenson, « North Korea begins to reopen plant for processing uranium », *New York Times*, 24 décembre 2002, p. A1.

2. David E. Sanger, « President makes case that North Korea is no Iraq », *New York Times*, 1er janvier 2003, p. A1.

désespérée. Que vont-ils faire avec deux ou trois armes nucléaires de plus alors qu'ils meurent de faim, qu'ils n'ont pas de source d'énergie, qu'ils n'ont pas d'économie capable de fonctionner[1] ? » Un ancien ambassadeur en Corée du Sud, Donald Gregg, se borne à dire des Nord-Coréens : « Je ne pense pas que ces types soient cinglés[2] » – à la différence, peut-on présumer, de Saddam Hussein, même si aucun psychiatre n'a été consulté.

Sur une base si ténue, les États-Unis ont non seulement toléré les efforts extraordinairement provocateurs mis en œuvre par la Corée du Nord pour développer des armes nucléaires, mais autorisé à la fin de 2002 la livraison au Yémen de missiles Scud nord-coréens dissimulés à bord d'un cargo (afin de ne pas s'aliéner le soutien nouvellement acquis du gouvernement yéménite), après qu'un navire de guerre espagnol, alerté par les rapports des services de renseignement américains, eut arraisonné le bâtiment. Ces épisodes gênants montrent pourquoi le rôle exceptionnel idéaliste de l'Amérique et son discours moral émouvant ne constituent pas un fondement assez solide pour protéger ses intérêts. Trente-sept mille soldats américains continuent de former un fil de détente en Corée du Sud et se trouvent directement dans la ligne de mire des fusils nord-coréens, même s'ils ont été un peu éloignés de la zone démilitarisée. Pourtant, l'administration Bush s'est montrée incapable de la moindre riposte significative.

Le président Bush s'est ainsi efforcé de distinguer le cas de la Corée du Nord, où l'Amérique négociait sur le plan diplomatique, de celui de l'Irak, où il s'était juré de porter la guerre, en déclarant : « Hussein est le seul

---

1. Cité par Sanger, « Nuclear anxiety », art. cité.

2. Cité par Howard W. French, « Nuclear fear as a wedge », *New York Times*, 24 décembre 2002, p. A1.

de son espèce : voilà onze ans qu'il fait la nique au monde entier [...]. Il a réellement gazé son peuple. Il a utilisé des armes de destruction massive contre les pays voisins, et il a utilisé des armes de destruction massive contre ses propres ressortissants. Il veut posséder l'arme nucléaire. Il a fait très clairement comprendre qu'il déteste les États-Unis et, tout aussi important, qu'il déteste nos amis[1]. » La question initiale du terrorisme avait tout bonnement disparu de l'explication au profit de raisons d'intervenir plus convaincantes, bien que moins pertinentes. Or, prises une par une, même ces raisons n'ont pas réussi à convaincre pleinement, puisant comme elles le faisaient leur force de persuasion dans une accumulation d'allégations et non dans l'autorité des preuves[2].

1. Cité par Mike Allen, « Bush pledges diplomatic approach to North Korea », *Washington Post*, 22 octobre 2002, p. A24.

2. Par exemple, même l'argument selon lequel Saddam Hussein a utilisé des agents chimiques contre son peuple, peut-être le plus important et le moins contesté des chefs d'accusation annexes présentés par le gouvernement américain pour étayer son dossier contre le régime irakien en tant qu'État voyou dangereux et brutal, a été remis en question. Les terribles pertes kurdes dues à des agents chimiques à Halabja ayant été infligées pendant la guerre entre l'Iran et l'Irak lors d'une bataille où les deux camps eurent peut-être recours à des agents chimiques, on peut se demander si les Irakiens utilisaient ces armes contre les Kurdes ou contre leurs adversaires iraniens, et même quel camp a employé la substance toxique. Voir Stephen C. Pelletiere, « A war crime or an act of war ? », *New York Times*, 31 janvier 2003, p. A29. Les arguments de Pelletiere sont sujets à débat et ont été contestés par des observateurs crédibles, notamment Kenneth Roth, de Human Rights Watch, selon qui l'Irak est seul responsable du gazage de civils kurdes à Halabja. Voir la lettre de Roth à l'éditeur, *New York Times*, 5 février 2003. Plus grave encore, ce sont les États-Unis qui ont fourni à l'Irak une grande partie de ses armes de guerre chimiques et biologiques à une époque où ils soutenaient ce pays contre l'Iran.

En glissant sur l'absence de liens avérés entre l'Irak et la terreur, l'administration Bush dut aussi se bagarrer avec la minceur des indices de violations irakiennes en matière d'armement susceptibles de faire accuser cet État de projeter ou d'appuyer des actions terroristes. Elle affirma donc disposer de renseignements pertinents qui contredisaient les rapports des inspecteurs des Nations unies et la position des alliés, mais qu'elle ne pouvait révéler de crainte de compromettre ses sources, voire de les mettre en danger. Elle accusa les Irakiens de violations explicites que nia le chef des inspecteurs des Nations unies, Hans Blix[1]. Elle fabriqua quelques-unes de ses preuves, manipula et déforma les rapports des services de renseignement, ou mentit simplement. Outre les questions cruciales de confiance ainsi soulevées, et sans déterminer la vérité irréfutable, il apparaît clairement qu'appliquer la logique de guerre préventive à des États n'est pas une tâche aisée.

À première vue, le cas de l'Afghanistan semble moins prêter le flanc à cette critique. Le gouvernement taliban avait clairement soutenu des bases d'entraînement terroristes et manifesté par ailleurs sa complicité dans l'implantation d'Al-Qaida, sinon dans ses agissements proprement dits. Compte tenu de l'idéologie des talibans, de l'existence de bases d'entraînement terroristes et des liens personnels, financiers et de leadership unissant le gouvernement à Al-Qaida et le mollah Omar à Oussama

1. Dans son message sur l'état de l'Union, le président Bush allégua que les vieilles ogives découvertes par les inspecteurs le 16 janvier 2003 prouvaient que Saddam Hussein envisageait d'utiliser des agents chimiques ou biologiques ; mais Blix fit savoir qu'on n'avait relevé « aucune trace » d'éléments chimiques ou biologiques dans les ogives (ni nulle part ailleurs au demeurant).

ben Laden, on aurait difficilement pu trouver un exemple plus net de soutien étatique au terrorisme. Même si la part de culpabilité morale des talibans dans les attentats du 11 Septembre peut prêter à débat, peu de nations nièrent qu'en s'en prenant aux talibans les États-Unis n'attaquaient pas simplement un pays qui hébergeait des terroristes, mais détruisaient un régime activement complice d'agissements terroristes. Or, même dans ce cas apparemment limpide, il s'avéra que la chute du régime des talibans ne réussit pas à éliminer Al-Qaida, qui disparut dans la nature avec au moins quelques-uns de ses principaux dirigeants pour se battre à un autre moment dans un autre lieu. La logique de soutien, même sous son jour le plus persuasif, fonctionne à sens unique. Un État peut accueillir et soutenir des terroristes, mais la suppression de l'État incriminé ne peut en aucun cas éliminer les terroristes. Ils reçoivent un appui, mais n'en dépendent pas – pas plus qu'ils ne dépendent de qui le leur accorde. On compare souvent les terroristes à une tumeur cancéreuse qui s'autodétruit en même temps que l'organisme hôte ; en réalité, ils ressemblent beaucoup plus à des parasites mobiles qui colonisent un organisme hôte, mais peuvent en changer indéfiniment tout en contaminant et en détruisant les systèmes dont ils vivent. Les talibans ont disparu, Al-Qaida vit. L'ère de Saddam Hussein est close, celle de Djihad contre l'Amérique s'amorce à peine.

Les nouveaux États hôtes abondent. Ils comprennent des dizaines de régimes corrompus et non démocratiques, de nombreux gouvernements faibles et instables, et une quantité appréciable de sociétés du tiers monde marginalisées par la mondialisation et hostiles à l'Amérique. Ils comptent aussi des régimes autoritaires ainsi que des régimes protodémocratiques alliés et amis de l'Amérique, comme l'Égypte, le Yémen, le Maroc, l'Arabie Saoudite et le

Pakistan, qui ont tous « accueilli » et hébergent en ce moment précis des terroristes – quand bien même par inadvertance parfois. À quel moment le fait d'« aider » un pays « ami » comme l'Indonésie et les Philippines à faire la guerre au terrorisme se change-t-il en guerre de l'Amérique contre cet ami ? Plus de 1 700 soldats des forces spéciales américaines se tiennent prêts à « aider » le président Arroyo à désorganiser et à détruire les quelque 250 membres que compterait le groupe extrémiste Abou Sayyaf ; or le gouvernement philippin a hésité à les laisser pénétrer sur le territoire.

La menace comparable que font peser certains États (« voyous », « commanditaires » des terroristes ou simplement inamicaux) sur les États-Unis et les autres nations exige d'être évaluée au vu de critères clairement définis et fondés sur des éléments concrets, afin que ces États puissent être reconnus comme tels par des organismes internationaux comme le Conseil de sécurité des Nations unies et la Cour pénale internationale. La seule présence d'un régime instable ou despotique (définition applicable à des dizaines de pays) ne suffit pas. Le critère décisif se fonde non pas sur les caractéristiques, la stabilité, la démocratie ou la légitimité de l'État, mais sur la nature de ses liens avec le terrorisme. La simple présence de terroristes sur le territoire d'un État ne suffit pas, puisqu'on trouve des terroristes au Canada, aux États-Unis, en Angleterre, en Allemagne et dans bien d'autres pays européens. Car si les terroristes se développent dans le terreau de sociétés instables, ils prospèrent aussi, et sont bien plus difficiles à repérer, au sein de sociétés ouvertes. Dans le passé, l'Irlande (l'IRA), l'Italie (les Brigades rouges), l'Allemagne (la bande à Baader), l'Espagne (le Pays basque), le Cambodge et la Géorgie (ex-soviétique) figuraient parmi les nombreux pays considérés comme autant de sources du terrorisme international. Les milices d'extrême droite américaines et d'autres organisations paramilitaires n'ont pas seulement commis des actes de terrorisme aux États-Unis, mais recherché des alliances avec des néofascistes en Allemagne et ailleurs, souvent en employant les mêmes technologies internationales, comme Internet, particulièrement prisé par les réseaux terroristes les plus connus[1]. La liste officielle du département d'État recensant les organisations terroristes et les États qui soutiennent le terrorisme est très différente du tableau de service en sténo sur lequel le président Bush a condensé son axe du mal. On y trouve Cuba, le Soudan et la Syrie, ainsi que vingt-huit « organisations terroristes étrangères » parmi lesquelles Aum Shinrikyo, Kach, les Tigres de la libération tamouls, l'ETA basque, le Sentier lumineux et le mouvement révolutionnaire Tupac Amaru[2]. De la même façon qu'il existe des critères juridiques permettant aux tribunaux de qualifier des délits précis – majeurs, capitaux, etc. –, il est nécessaire de fixer des critères juridiques qui permettront aux organismes de sécurité collective de qualifier les actes d'un État – coupables ou complices – en matière de criminalité terroriste. Si l'on avait disposé de tels critères pour juger l'Irak, les États-Unis auraient pu se gagner un soutien plus large à leur guerre, ou alors la faire (s'ils le décidaient) en violation explicite du droit.

Indépendamment de ces critères, les questions de risque, de certitude et de doute, de responsabilité et de faute

1. Pour une documentation, voir les rapports du Southern Poverty Law Center (www.splcenter.org).

2. La distinction entre terroristes nationaux et internationaux est, bien entendu, glissante et problématique pour ceux qui veulent effectuer une frappe préventive contre le terrorisme « international ». Une guerre préventive contre le terrorisme exige à l'évidence d'être conduite avec une extrême prudence.

deviennent à l'évidence extrêmement fluides dans la logique fuyante de guerre préventive. Les États se prêtent mal à la guerre préventive, car ils font partie d'un ordre international défini par la souveraineté et (aux termes de la Charte des Nations unies) par l'obligation mutuelle d'éviter la guerre, sauf quand elle peut se justifier par la légitime défense ou une menace si imminente que la préemption peut passer pour une sorte d'autodéfense par anticipation.

Lorsque la guerre préventive vise des États, toutes les questions de rationalité, prévisibilité et certitude qui grèvent les doctrines traditionnelles de dissuasion et d'endiguement refont surface. Les États-Unis se trouvent ainsi pris, en Corée du Nord, dans un jeu de devinettes en matière d'intentions, de motivations et de rationalité pas si différent du jeu avec l'Union soviétique à l'ère de la guerre froide – et dans lequel ils continuent à être engagés aujourd'hui (tout à fait à part du terrorisme) avec, disons, la Chine et Cuba. Condoleezza Rice, qui compte à son actif une longue expérience d'expert en soviétologie, se retrouve moins éloignée de ses origines universitaires qu'elle ne le suppose en avançant une « nouvelle » doctrine de guerre préventive. La tendance des hauts responsables de l'administration à voir en Saddam Hussein une figure qui leur rappelle Staline, comme ils le soulignent avec insistance, a certainement moins diffamé le dirigeant irakien que rationalisé la réintroduction par la porte de service des stratégies de dissuasion éjectées avec tant de tapage par la porte d'entrée. On notera que le président ne s'est jamais rallié sérieusement à l'option de dissuasion, mais sa logique était activement à l'œuvre en Irak et aurait très bien pu le convaincre de poursuivre l'endiguement – pour peu que Saddam Hussein ait entièrement satisfait à toutes les exigences.

Avant l'entrée des Américains sur le territoire irakien, la guerre préventive fut appliquée à l'Irak de la même façon que la dissuasion nucléaire l'avait été à l'Union soviétique – non pas : « Vous êtes cuits, c'est fini, quoi que vous fassiez maintenant, vous serez attaqués et désarmés », mais plutôt : « Si vous ne coopérez pas avec les inspecteurs des Nations unies, si vous ne prouvez pas que vous êtes désarmés ou ne prenez pas de mesures visibles pour vous désarmer vous-mêmes, si vous ne changez pas de régime ou, sinon de régime, du moins d'ambitions militaires, nous vous désarmerons. » Il s'agit là d'endiguement, de dissuasion, d'utilisation éventuelle de la force pour obtenir les changements désirés dans le comportement d'un adversaire. Quelle qu'ait été sa rigueur, et alors qu'elle n'eut pas l'effet dissuasif souhaité, cette méthode fut mise en œuvre comme une forme de négociation avec l'ennemi, de la façon même dont le président s'était engagé à ne pas négocier avec des terroristes. Or, même marquée au sceau du bon sens, elle permet à l'adversaire de jouer un rôle décisif en déterminant l'issue. Sincère ou non, le président Bush l'a dit et répété : guerre ou pas guerre, la responsabilité en reviendrait à Saddam Hussein et à lui seul. On ne lui demandait que de se conformer pleinement à la résolution 1441 (ce que même les opposants à l'intervention américaine ne l'imaginaient pas faire).

Le message de la guerre au terrorisme, cependant, était très différent : « Nous vous trouverons, nous vous empêcherons de nuire, nous vous détruirons. Point. Rien ne dépend de vous. » La vraie guerre préventive n'a que faire de résolutions des Nations unies et se passe de justifications. « Vous l'avez commencée, disait le président Bush aux terroristes, nous la finirons. » Mais le message adressé à l'Irak stipulait : « Si vous ne désarmez pas, nous vous désarmerons. » Ce n'est pas une déclaration, c'est une menace. Son exécution dépend de l'adversaire. Il ne s'agit pas de guerre préventive, mais de la *menace* d'une guerre préventive sortie de la trousse à outils de l'endiguement et de la dissuasion. Et voilà pour la doctrine de l'endiguement qui « ne tient plus debout ».

Avec l'Irak comme avec la Corée du Nord, il y a eu des négociations d'État à État implicites assorties d'un barème de coûts négociables pour toute une gamme de résultats souhaités. Il en va de même aujourd'hui pour la Syrie et l'Iran. Il s'est avéré que même un changement de régime à Bagdad, au départ une condition *sine qua non* aux yeux de l'Amérique, pouvait se négocier. Si Saddam Hussein s'était pleinement conformé à la résolution 1441, l'Amérique, déclarait-elle, y aurait vu un changement de régime. En traitant l'Irak et la Corée du Nord comme des États dotés d'intérêts et non comme des terroristes apatrides, les États-Unis ont fait de la « nouvelle » doctrine de guerre préventive un retour à l'« ancienne » doctrine de dissuasion et d'endiguement.

En réalité, la stratégie de guerre préventive en Irak s'est apparentée, au mieux, à un puissant coup de bluff dont la crédibilité s'est vue avalisée au fil des jours par toute une panoplie de moyens de dissuasion : la mise en place d'un arsenal massif dans la région ; la clarté avec laquelle l'administration a lancé menaces et mises en garde ; et sa volonté apparente d'agir unilatéralement si elle ne parvenait pas à convaincre les Nations unies ou ses alliés d'entrer en lice. « Le multilatéralisme ne deviendra pas un prétexte pour ne rien faire », déclara un Colin Powell ferme et résolu devant les délégués réunis au Forum économique mondial de Davos. « Nous continuons de nous réserver le droit souverain d'engager une action militaire contre l'Irak, seuls ou dans une coalition des bonnes volontés[1]. » La guerre préventive vise ici à inciter le camp adverse à agir, précisément pour ne pas avoir à déclencher une guerre préventive. Il s'agit d'une dissuasion dont la barre est placée plus haut. Elle étend jusqu'au point de rupture la logique subjonctive du « Si vous ne faites pas X, alors nous ferons Y ». Mais, loin de s'affranchir des paradoxes et des contradictions de la dissuasion, elle amplifie leur effet alarmant – quitte à créer de nouveaux problèmes d'illégalité apparente, d'unilatéralisme et de partialité imbue d'exception. Elle transforme la dissuasion passive ou réactive de la guerre froide en une forme de « dissuasion active » dans laquelle les autres voient de l'intimidation.

L'endiguement appliqué aux Soviétiques faisait appel à une logique de dissuasion plus classique : « Nous savons que vous avez la capacité de déclencher une première frappe nucléaire contre nous, ou de déclencher une guerre conventionnelle en Europe en croyant (à tort) que nous ne prendrons pas le risque d'une riposte nucléaire. Alors nous vous le disons tout net : "Ne faites pas cela !" Car nous effectuerons une contre-frappe plus dévastatrice que n'importe quelle première frappe dont vous êtes capables ; et si vous effectuez une frappe conventionnelle et submergez nos défenses conventionnelles, nous réservons toutes nos options, y compris l'option nucléaire. La preuve : nous n'avons pas seulement déployé nos soldats sur le front Est comme fil de détente, mais placé des armes nucléaires sur ce théâtre. »

Lorsqu'on la réduit à une tactique de dissuasion active, la guerre préventive parle le même langage, mais avec un

1. Colin Powell, discours au Forum économique mondial, Davos, Suisse, rapporté in « Powell on Iraq : "We reserve our right to take military action" », *New York Times*, 27 janvier 2003, p. A8.

discours d'intimidation beaucoup plus vigoureux – pris, toutefois, dans une logique subjonctive infiniment plus faible. Cette logique pose : « Nous pensons que vous projetez peut-être de nous attaquer, ou que votre idéologie laisse entendre que vous le feriez si vous le pouviez ; ou alors, si vous dites la vérité (ce que nous ne pensons pas) et que vous ne détenez pas encore les armes capables de nous faire du mal, nous vous soupçonnons de projeter d'acquérir ces armes qui vous permettraient d'attaquer les États-Unis ou leurs amis, si vous le souhaitiez, comme nous pensons que c'est le cas, et même si vous ne le faites pas, vous auriez la capacité de remettre ces armes à des terroristes, ce que nous croyons que vous pourriez faire… » Cette logique n'est pas celle du « Pas de négociation, pas de transactions » de la vraie guerre préventive, mais elle n'est pas tout à fait non plus la logique tacite mais très réelle de la dissuasion passive. Parce que sa crédibilité se fonde dans l'action préventive et non dans la riposte, et exige que son ennemi *fasse quelque chose* (désarmer, accepter les inspections, changer de régime) et non *renonce à faire quelque chose* (pas d'attaque, pas de première frappe), elle complique la logique déjà torturée de la dissuasion.

La préemption employée comme menace manque de la force de la préemption élémentaire (« De toute façon, on y va ! »), sans jamais égaler la vertu de la dissuasion passive (« Tant que vous ne bougez pas, nous ne faisons rien »). Dans les années de guerre froide, la destruction mutuelle assurée dissuadait les deux camps d'exercer une première frappe en garantissant une contre-frappe dévastatrice de la part du camp agressé. Mais on n'a pas dit au gouvernement de l'Irak : « Si vous utilisez des armes chimiques ou biologiques d'une quelconque façon qui nous menace, nous ou nos alliés, vous risquez des représailles massives de la part des États-Unis, y compris de possibles représailles nucléaires. » *Cela* fut en réalité le véritable message que la première administration Bush envoya à Saddam Hussein pendant la guerre au Koweït, lorsqu'elle craignait qu'il n'utilise en désespoir de cause ses armes biochimiques contre la contre-attaque alliée qui suivit l'invasion de ce petit pays. *Cela* fut de la dissuasion et de l'endiguement traditionnels. Mais, avant l'invasion de son territoire, l'Irak s'entendit sommer par la seconde administration Bush de prendre des mesures spécifiques, de faire et non de renoncer à faire. Montrez-nous les armes de destruction massive que l'Amérique dit que vous détenez, ou apportez la preuve décisive que vous ne les détenez pas (et l'Amérique vous dira ce qui constitue une preuve décisive), sinon vous serez anéantis. Il s'agit là de « dissuasion active ». À la différence de la version traditionnelle, elle transforme le camp qui l'applique en agresseur. Elle exige que l'Irak en tant qu'État souverain (si tyrannique et révoltant soit son régime) adapte son propre droit de développer des armes et des tactiques d'autodéfense à l'idée que se font les États-Unis de la menace représentée par ces armes et tactiques. Elle demande ainsi au monde de légitimer le droit du plus fort, qui se réclame de sa supériorité morale, à user d'intimidation envers le plus faible qu'elle estime moralement inférieur.

En ce sens, la guerre préventive utilisée comme menace de dissuasion active ne réussit qu'en échouant. Et échoue quand elle réussit. Autrement dit, elle opère comme élément dissuasif seulement quand elle échoue en tant que guerre préventive : quand la prévention est brandie à titre de menace, mais pas réellement appliquée. Et elle opère comme guerre préventive (une frappe préventive est exercée) seulement quand elle échoue en tant que dissuasion : comme lorsque la menace de guerre échoua à faire plier le régime irakien, qui fut donc attaqué. Juste avant le déclenchement du conflit, un éditorial du *New York Times* mit le doigt sur ce que la logique de guerre préventive appliquée comme élément de dissuasion avait de paradoxal : « Si l'administration Bush entend continuer à exercer une pression militaire sur M. Hussein pour l'inciter à coopérer plus pleinement avec les inspecteurs ou à accepter un compromis diplomatique, les résultats pourraient être constructifs. Mais s'il envisage réellement une frappe militaire anticipée au cours des prochaines semaines, seul ou avec l'appui britannique, Washington devrait reconsidérer la question[1]. » En d'autres termes, c'est parfait de brandir la menace de guerre préventive pour empêcher la guerre (même si cela signifie que la guerre préventive a « échoué » en ce sens qu'elle n'était pas nécessaire !), du moment qu'on ne la fait pas réellement (ce qui voudrait dire que la dissuasion a échoué, puisqu'elle n'a pas empêché la guerre !). Mais on ne peut pas vraiment menacer de faire la guerre sans être entièrement et de façon crédible prêt à la faire, et la crédibilité de cette menace ne sera prouvée que par le déclenchement des hostilités.

Certains paradoxes de la guerre préventive utilisée comme stratégie de dissuasion reposent sur les contradictions de la dissuasion elle-même. La nostalgie de l'endiguement et de la dissuasion de la guerre froide qui paraît étreindre les censeurs libéraux du président Bush ne manque pas d'ironie – à croire que beaucoup de ces mêmes libéraux n'avaient pas tiré naguère à boulets rouges sur la stratégie de dissuasion et que cette politique ne présentait pas d'énormes risques par elle-même, risques dont ces

---

1. Éditorial, « Lighting the fuse in Iraq », *New York Times*, 22 janvier 2003, p. A20.

mêmes censeurs faisaient à l'époque leur fonds de commerce en les dénonçant avec fureur. Comme l'a reconnu Max Boot, la réalité que masquait l'endiguement était « infiniment plus sordide » que ne s'en souviennent les zélateurs libéraux d'aujourd'hui ; l'endiguement « a soutenu les colonels grecs, les généraux argentins, le Shah, les Pinochet, Marcos, Somoza et autres individus peu fréquentables qui étaient dans “notre” camp. Il a contribué à renverser [...] Mossadegh en Iran, Arbenz au Guatemala et Allende au Chili [...], [et] il s'est traduit par une guerre majeure contre la Corée du Nord et le Viêt-nam [et] par le débarquement en République dominicaine et à Grenade[1] ».

Les présupposés sur lesquels se fonde la nouvelle stratégie de guerre préventive plongent en réalité leurs racines dans la théorie stratégique rationaliste qui a produit l'équilibre de la terreur et ses détracteurs ; théorie dont ont aussi résulté les débats sur la rationalité, la prévisibilité et la certitude qui ont conduit de nombreux stratèges à douter de la sagesse de la dissuasion. Les défauts qui rendaient hasardeuse la stratégie d'endiguement et de dissuasion passive pendant la guerre froide (et qui en ont amené certains à voir dans la guerre préventive une solution de remplacement) font qu'une stratégie moderne de guerre préventive et de dissuasion active se révèle désastreuse aujourd'hui. La dissuasion a fonctionné, mais autant par un coup de chance que du fait de son bien-fondé, et ce en mettant en danger la survie de l'humanité.

---

1. Max Boot, « Look who likes deterrence now », *Weekly Standard*, 11 novembre 2002, p. 27. Comme le note Boot, en jubilant mais avec justesse : « L'enthousiasme de la gauche pour l'endiguement et la dissuasion fut, c'est le moins qu'on puisse dire, infiniment plus difficile à déceler pendant la guerre froide. »

La chance n'a pas été étrangère à la manière dont les États-Unis et l'Union soviétique se sont tirés des problèmes de crédibilité qui ont toujours plus ou moins transformé la dissuasion en jeu de « à qui se dégonflera le premier » à l'échelle planétaire. La dissuasion ne peut opérer qu'à partir de menaces *crédibles*, et cette crédibilité dépend entièrement de la conviction de l'adversaire que la nation qui essaie de le dissuader mettra sa menace *à exécution*, même au prix de l'anéantissement mutuel. Maximiser la crédibilité revient à maximiser la probabilité perçue (tout est dans la perception !) d'une mise à exécution rapide, sans ambiguïté et certaine de la promesse de dissuasion. Quelques semaines seulement avant le début du conflit en Irak, le Premier Ministre Tony Blair présenta l'argumentation classique devant la Chambre des communes afin de ne pas reculer dans le jeu de « à qui se dégonflera le premier » planétaire : « Faisons preuve de faiblesse maintenant, expliqua-t-il, et personne ne nous croira jamais plus si nous voulons affirmer notre force dans le futur[1]. » Dans le cas de la guerre froide, les enjeux étaient encore plus importants.

Le besoin de crédibilité posait un problème à l'époque comme aujourd'hui : une contre-frappe anéantissant les Soviétiques, après que les États-Unis auraient été anéantis par une première frappe, n'aurait qu'aggravé la destruction aberrante de la frappe initiale. Mais, sauf si chacun des deux camps croyait que l'autre concrétiserait la destruction mutuelle assurée d'une contre-frappe, même au risque d'une apocalypse nucléaire, la dissuasion ne fonctionnait pas et la menace de guerre s'en trouvait accrue. On n'atté-

---

1. Cité par Warren Hoge, « Blair, despite a dubious public, sticks to a firm stance on Iraq », *New York Times*, 4 février 2003, p. A12.

nuait le risque de guerre qu'en « bétonnant » la menace d'une possible guerre dévastatrice en guise de contre-frappe. Plus la détente de l'arme était sensible et plus les conséquences causaient de ravages, plus la dissuasion se révélerait efficace – et les conséquences de son échec catastrophiques. La menace de représailles massives « marcha » pendant la guerre froide parce qu'aucun des deux camps n'osa mettre à l'épreuve la logique démente qui la fondait. Sa crédibilité et, partant, sa rationalité reposaient sur sa non-crédibilité et son irrationalité : « Vous voulez dire que si des centaines de millions d'Américains innocents étaient massacrés par une frappe soviétique, l'Amérique massacrerait des centaines de millions de Russes innocents, même si cela ne faisait rien pour la sauver ? ! » Justement : plus l'issue était irrationnelle, plus la menace était crédible.

La logique ultime de MAD (tu détruis mon pays, je détruis le tien) aboutissait à la *doomsday machine*, la « machine de la fin des temps », aussi aberrante que son acronyme* – un dispositif hypothétique proposé par des pourfendeurs irrévérencieux de MAD, qui « dissuaderait » des agresseurs nucléaires en truffant la planète de détecteurs capables de déclencher une fusion nucléaire en réponse à l'envoi de n'importe quelle arme nucléaire. L'impossibilité de croire à la destruction massive assurée garantissait en réalité sa crédibilité, et le moralisme inhérent au discours de la guerre froide permettait de mieux la gober. Le communisme était une idéologie « totalitaire », l'Union soviétique un « empire du mal », donc des mesures radicales s'imposaient. Néanmoins, MAD ne pouvait s'appuyer sur la doctrine de guerre

---

* *Mutual Assured Destruction* (destruction mutuelle assurée) donne MAD (en anglais, « fou »). *(NdT)*

juste[1]. Elle annonçait plus que le massacre d'innocents : elle promettait de tuer tout le monde pour empêcher l'ennemi de tuer quelqu'un.

Dans cette perspective de dissuasion, même quand ce sont les « gentils » qui déploient la stratégie, on comprend aisément que quelques observateurs prudents comme Robert Jay Lifton, éminent psychopolitologue, décèlent aujourd'hui un certain parallélisme désaxé entre le nihilisme des terroristes et la vision américaine des formes adéquates de mise hors d'état de nuire préventive. Comme l'indique Lifton, le Hamas et consorts usent des « violence apocalyptique [...] pour opérer des destructions massives et régénérer l'esprit du monde [...], mais vous avez cela ici aussi, aux États-Unis, chez ceux qui exploitent la menace de la terreur pour justifier de dominer militairement le monde[2] ».

Reposant à la fois sur une stratégie de guerre préventive encore inédite et sur les doctrines de dissuasion traditionnelles, la *pax americana* paie un terrible tribut, même si elle se voit couronnée de succès à courte échéance (je soutiens ici qu'elle ne peut pas réussir à long terme). Pour Lifton, comme dans le cas de MAD, ces groupes d'opposition « agissent de concert » en se « stigmatisant les uns les autres » avec des mines vertueuses. Je ne partage pas sa crainte qu'« une guerre à la terreur, sans limites de temps ni

1. La Conférence américaine des évêques catholiques y voyait une violation de la « théorie de la guerre juste », au motif qu'il n'était pas « moralement acceptable d'envisager de tuer les innocents au nom d'une stratégie de guerre nucléaire dissuasive » (« The challenge of peace : God's promise and our response », lettre pastorale, 3 mai 1983, § 178).

2. Cité par Chris Hedges, « A skeptic about wars intended to stamp out evil », *New York Times*, 14 janvier 2003, p. B3.

d'espace, nous rapproche encore plus du recours à la violence apocalyptique ». Je redoute davantage que le transfert des certitudes fondées d'une guerre préventive contre le terrorisme sur le terrain infiniment moins sûr de la « dissuasion active » contre des États souverains ne nous ramène aux dangers de l'époque de la guerre froide, aggravés par les activités de terroristes ne se réclamant d'aucune patrie. Comme le souligne Charles Krauthammer, « même dans le meilleur des cas, la dissuasion s'est révélée psychologiquement débilitante, intrinsèquement instable et considérablement dangereuse. En faire, de volonté délibérée, le principe sur lequel repose notre sécurité à l'ère des armes de destruction massive relève de la pure démence[1] ». Et ce n'est certes pas moins vrai aujourd'hui que pendant la guerre froide.

La doctrine de la dissuasion et celle de la guerre préventive semblent souvent reposer sur l'hypothèse d'une rationalité humaine parfaite : sur la conviction qu'il existe une sorte de barème public de choses bonnes et mauvaises, de souffrances et de plaisirs, de sanctions et d'incitations qui sont universels et opéreront sans considération de culture, de période ou d'idéologie. Toute la stratégie nationale de sécurité américaine se réduit souvent à la carotte et au bâton, et elle a moins changé après le 11 Septembre qu'on n'aurait pu s'y attendre. « L'argent a parlé en Afghanistan », jubilait un chef d'opérations spéciales antiterroristes dans les premiers jours du conflit dans ce pays. « Les seigneurs de guerre ou les sous-commandants avec leurs douzaines ou leurs centaines de combattants pouvaient être achetés pour la modeste somme de 50 000 dollars payés

1. Krauthammer, « Obsolescence of deterrence », art. cité.

cash [...]. Si nous savons nous y prendre, nous pouvons acheter beaucoup plus de talibans que nous ne devons en tuer[1]. » Sur le même principe (et avec aussi peu de succès), les États-Unis offrirent 25 millions de dollars de récompense pour la capture d'Oussama ben Laden. Plus de dix-huit mois après il court toujours, et quelques Américains s'étonnent encore que personne ne les ait contactés pour empocher le pactole.

Cette foi dans les vertus de la carotte et du bâton relève elle aussi de la philosophie hobbesienne dont dérive la doctrine du contrat social : ce que les spécialistes de l'éthique nomment l'hédonisme psychologique. Composante de la théorie utilitaire classique, l'hédonisme psychologique a trouvé sa forme la plus achevée un siècle et demi après Hobbes dans la pensée de Jeremy Bentham, observateur brillant et obsessionnel de la rationalité humaine. Pour Bentham, la raison est une sorte d'instrument et d'esclave des passions humaines – une machine à calculer avec laquelle nous mesurons l'impact vraisemblable de nos conduites éventuelles en nous fondant sur leur probabilité de produire en nous la douleur ou le plaisir.

Des systèmes entiers d'apprentissage humain et de législation politique reposent sur cette simple prémisse. Notre rationalité supposée parfaite naît de nos passions et besoins communs et n'aspire qu'à les servir, moyennant quoi tous les hommes et toutes les femmes se livrent partout aux mêmes calculs, qu'il s'agisse de stratèges américains, de guérilleros du Vietcong, de généraux irakiens ou de terroristes d'Al-Qaida. Tous peuvent être éventuellement mani-

---

1. Reconstitution de commentaires par Woodward, *Bush s'en va-t-en guerre*, *op. cit.*, p. 214.

pulés par des récompenses et des sanctions, par des espèces sonnantes et trébuchantes et par de grosses bombes[1].

Pour chaque exemple montrant que la nature humaine est uniforme et rationaliste et calculatrice à des fins pragmatiques, que les éléments d'incitation et les sanctions peuvent donner des résultats, que la dissuasion a une raison d'être, il existe un contre-exemple en regard – ainsi, le déclenchement de la Première Guerre mondiale malgré un siècle de diplomatie fondée sur le « concert des nations » et censée garantir qu'une telle éventualité ne surviendrait jamais (voir *The Guns of August*, l'exposé toujours magistral par Barbara Tuchman du déclenchement mal raisonné de cette guerre censée être la « der des ders »). La guerre du Viêtnam elle-même représente peut-être le contre-exemple le plus convaincant des limites de la rationalité. Le bombardement du Nord par les Américains sous prétexte de mettre la barre si haut que Hanoï se désintéresserait de la guerre civile dans le Sud, loin de servir de dissuasion, parut blinder la volonté de ce dernier et polariser sa résistance. L'offensive de Saddam Hussein contre le Koweït malgré la puissance écrasante de ses ennemis éventuels offre un autre contre-exemple. Il y a le « succès » actuel des attentats suicides de terroristes palestiniens en Israël, malgré une politique de guerre préventive résolue à faire obstacle à ce

1. Jeremy Bentham, *Introduction aux principes de la morale et de la législation* (1780), chap. 1. Dans sa célèbre introduction, Bentham pose : « La Nature a placé l'humanité sous l'autorité de deux maîtres souverains, la douleur et le plaisir. Il revient à eux seuls de montrer ce que nous devrions faire, ainsi que de déterminer ce que nous devons faire [...]. Ils gouvernent tout ce que nous faisons, disons, pensons [...]. En parole l'homme peut prétendre abjurer leur empire, mais en fait il leur restera soumis en permanence. »

comportement en obligeant les auteurs de tels actes à mettre en gage les maisons de leurs familles ainsi que la sécurité collective et la liberté de la communauté palestinienne, contrainte de payer un prix collectif pour leur fanatisme. Le gouvernement Sharon croit (ou croyait naguère) qu'aucun gouvernement proterroriste rationnel ni les terroristes eux-mêmes ne pourraient résister à ce rouleau compresseur de prévention-dissuasion. Mais les Palestiniens ont montré qu'ils ne partageaient pas cette vision pragmatique de la rationalité.

Pourquoi, alors, la dissuasion échoue-t-elle ? Pour la simple raison que les êtres humains ne sont pas des machines à calculer rationnelles identiques, dotées du même glossaire de besoins, désirs et passions. Que dans de nombreuses idéologies (y compris quelques versions de la nôtre) rester en vie ne représente pas la récompense suprême, ni la mort la sanction ultime. « Donnez-moi la liberté ou donnez-moi la mort* » fut jadis l'aphorisme américain qui triompha d'une armée anglaise supérieure, mais incapable de vaincre le caractère « irrationnel » d'une telle position. La théorie moderne de dissuasion commet les erreurs qui amenèrent le sage John Stuart Mill à critiquer le *felicific calculus* de Jeremy Bentham. Bentham posait l'existence chez l'homme d'une rationalité si parfaite qu'elle pouvait se calculer mathématiquement en termes de traits de comportement spécifiques[1]. Ce faisant, note Mill,

* Phrase fameuse du Virginien Patrick Henry, chef révolutionnaire et orateur grandiloquent. *(NdT)*

1. Bentham postulait dans son *Introduction aux principes de la morale et de la législation* que le comportement humain se fondait sur le calcul de la douleur ou du plaisir qu'on pouvait vraisemblablement attendre de la durée, de la proximité, de l'intensité et de la certitude de tout acte.

Bentham conçoit l'homme comme étant exclusivement une machine à calcul mue par ses passions – « un être susceptible de plaisirs et de douleurs, et gouverné dans toute sa conduite en partie par les diverses modifications de l'intérêt personnel, et par les passions communément considérées comme égoïstes [...]. Et la conception de la nature humaine selon Bentham s'arrête là [...]. Il ne reconnaît jamais à l'homme la capacité de rechercher la perfection spirituelle comme une fin en soi ; de désirer que son propre tempérament se conforme à son critère d'excellence sans en attendre un bien ou craindre un mal émanant d'une autre source que la conscience intérieure qu'il en a[1] ».

Les stratèges, depuis la Grèce classique jusqu'à l'ère de la terreur en passant par la guerre froide, font preuve d'une étroitesse de vues à la Bentham dans l'idée qu'ils ont de leurs ennemis. Le roi Créon de la Thèbes antique crut pouvoir menacer ou acheter Antigone pour la plier à son autorité, mais Antigone écoutait la voix des dieux et non celle des hommes. Les Britanniques crurent que leur machine militaire du XVIIIe siècle intimiderait les miliciens américains mal entraînés et pauvrement armés déployés contre eux et les amènerait à se soumettre, mais les Américains croyaient encore plus à leur cause. Les êtres humains ne sont pas des clones psychiques ou moraux, et il se trouve tout simplement qu'on ne peut pas « acheter tous les hommes » ou qu'il ne suffit pas d'y mettre le prix. La conscience, qu'elle soit en accord avec une haute vertu morale, un nationalisme désuet ou

1. John Stuart Mill, « On Bentham », in G. Himmelfarb, *Essays on Politics and Culture*, New York, Doubleday Anchor, 1963, p. 97. Publié à l'origine in *London and Westminster Review*, août 1838.

un dogmatisme religieux fanatique qui résiste à tous les envahisseurs, même lorsqu'il s'agit de liberté, résiste aussi aux calculs rationnels et à l'intimidation stratégique. Ces politiques, quand bien même elles enregistrent souvent des succès dans des cas particuliers, échouent souvent à longue échéance. Le refus de Saddam Hussein de consentir à la défaite assurée pour son pays et à la mort ou à l'exil tout aussi assurés pour lui était à l'évidence « irrationnel » au sens où l'entend Bentham ; et la détermination de milliers d'hommes à se battre jusqu'au bout en son nom entaché d'ignominie l'était encore davantage. Mais mieux vaut sans doute tabler sur l'irrationalité lorsqu'on réfléchit à la guerre, qu'elle soit dissuasive ou préventive ; autrement dit, la guerre se caractérise avant tout par l'imprévisibilité.

Irrationalité égale imprévisibilité : l'incapacité, même pour le camp qui a toutes les cartes en main et se trouve donc dans une position de pouvoir inégalée, de savoir comment son comportement ou ses déclarations joueront dans le subconscient individuel ou collectif de l'adversaire. La guerre accroît toujours la probabilité de l'inattendu et de l'imprévu. D'où la maxime de Harry Truman, née de la cruelle expérience : la guerre n'achète pas la paix au nom des principes qui l'inspirent. La victoire contre l'Allemagne nazie engendra l'interminable guerre froide contre l'Union soviétique. La défaite des Soviétiques produisit la nouvelle guerre aux règles encore inconnues contre le terrorisme. La défaite de Saddam Hussein a enfanté l'anarchie, le désordre, l'amertume et la déception ; peut-être un jour la démocratie, peut-être pas. Et, les certitudes sur ses conséquences et son issue s'assombrissant à mesure que l'horizon du temps s'éloigne, il reste impossible pour l'instant de déterminer le retentissement d'un comportement précis sur un adversaire – même partageant des valeurs et un passé culturel identiques. Les chefs d'Al-Qaida disaient croire que les États-Unis étaient faibles et que leurs citoyens redoutaient de mourir dans des guerres en terre lointaine. Qu'ils se soient trompés montre seulement que l'erreur de calcul entraîne des conséquences fâcheuses.

Ceux qui croient pouvoir pleinement maîtriser le cours des actions de l'homme en toutes circonstances, sans même parler de l'emprise de la peur ou de l'anarchie de la guerre, ne se font pas seulement des illusions, mais risquent d'être les premières victimes de leur orgueil. La Révolution française commença comme un mouvement réformateur chez des aristocrates qui espéraient accroître leur pouvoir d'influence sur la monarchie et s'acheva avec la destruction de l'aristocratie et de la monarchie. Comment s'étonner de la tendance des Français à ronchonner que *l'inattendu toujours arrive** : dans un pays aussi cousin de la guerre et de la révolution que la France, l'inattendu semble *vraiment* toujours arriver. Car, comme le notait sombrement Winston Churchill, une fois embarqué « dans le périple inconnu » de la guerre, « l'homme d'État qui cède à l'emballement doit comprendre qu'une fois le signal donné il n'est plus maître de sa ligne de conduite, mais esclave d'événements imprévisibles et incontrôlables ». La fragilité de l'entendement humain et les limites des capacités humaines ne sont jamais très loin. Quelques semaines à peine avant l'entrée des Américains en Irak, la navette spatiale *Columbia* se désintégra en rentrant dans l'atmosphère après une mission de seize

* En français dans le texte. *(NdT)*

jours en orbite. Le lendemain de l'accident, rapportant que le président considérait la catastrophe de *Columbia* comme « une tragédie qui [frappait] les sources vives du peuple américain et un rappel des risques des vols spatiaux », le porte-parole de la Maison-Blanche, Ari Fleischer, s'empressait d'ajouter que Bush n'y voyait « aucun lien avec l'actualité mondiale[1] ». Il y a quelque chose d'Icare dans les certitudes du président, des leçons non assimilées qui invitent à la catastrophe.

George W. Bush a reconnu que la guerre était incertaine : il a confié à Bob Woodward qu'il s'était entouré de conseillers qui avaient connu la guerre et « vécu des situations où les plans ne se déroulaient pas comme prévu[2] ». Mais on n'a guère relevé d'humilité dans sa prise de décision. Sa conscience du facteur d'incertitude ne paraît pas influer sur ses actions. Sa nature peu portée à la réflexion le ferme à toute subtilité et complexité, mais le pousse aux décisions rapides ; elle lui permet de passer dans la même foulée des décisions à leur exécution et l'ancre dans son obstination à garder le cap une fois qu'elles sont prises. Ce sont des traits de caractère utiles pour faire les guerres imposées par d'autres aux États-Unis, mais qui l'inciteront très vraisemblablement à imposer la guerre aux autres alors qu'il existe peut-être encore d'autres options. Dans la guerre au terrorisme, déclenchée par d'autres, ces traits injectent « du calcium dans la colonne vertébrale » de son administration, comme il l'a dit lui-même. Mais, en recherchant des solutions à la situation complexe qui prévaut au Moyen-Orient et en Asie de l'Est, ils risquent de

1. Cité par Richard W. Stevenson, « Loss of the shuttle : The President », *New York Times*, 3 février 2003, p. A1.

2. Woodward, *Bush s'en va-t-en guerre*, *op. cit.*, p. 156.

scléroser les vertèbres de l'administration et de la rendre incapable de souplesse.

Il y a douze ans, un observateur plus rassis des coûts d'une éventuelle invasion de l'Irak et de la chute de son régime après la guerre au Koweït lançait cette mise en garde :

> Si l'on envisage de renverser Saddam Hussein, il faudra aller à Bagdad. Une fois qu'on aura pris Bagdad, qu'en fera-t-on ? Quel type de gouvernement installera-t-on pour remplacer celui qui est actuellement au pouvoir ? Un régime chiite, sunnite, kurde ? Ou un régime favorable au Baas, ou encore aux fondamentalistes islamiques ? Quelle sera la crédibilité de ce gouvernement s'il est mis en place par l'armée américaine pendant qu'elle occupe le terrain ? Combien de temps l'armée américaine devra-t-elle rester là pour protéger la population qui aura avalisé ce gouvernement, et qu'arrivera-t-il quand nous partirons[1] ?

Cet esprit réaliste et lucide était à l'époque le secrétaire à la Défense Dick Cheney, que l'actuel vice-président Dick Cheney devrait consulter à propos des incertitudes qui s'attachent à la guerre et à son issue dans des régions aussi complexes que le Moyen-Orient, tandis qu'il prend la mesure des décombres dans le Bagdad de Saddam Hussein.

Plus la culture est étrangère, plus les problèmes gagnent en complexité, plus les valeurs diffèrent et plus les échéanciers varient. Aucun calcul élémentaire d'incitations et de sanctions, aucun décompte d'avoirs stratégiques ou de ressources militaires ne permettent d'augurer des conséquences en toute fiabilité. Avant la guerre en Irak, Saddam

1. Patrick E. Tyler, « After the war : US juggling Iraq policy », *New York Times*, 13 avril 1991, sect. 1, p. 5.

Hussein semblait trop peu se soucier du discours à forte teneur en octane de l'administration Bush qui s'adressait tout particulièrement à lui, tandis que les dirigeants de la Corée du Nord y prêtaient une oreille beaucoup trop attentive, répétant que l'Amérique envisageait sûrement de s'en prendre à leur régime. Cette doctrine de guerre préventive dirigée à mauvais escient contre un État avec une rhétorique imprudente et par trop publique non seulement ne parvint pas à dissuader sa cible essentielle – mettant l'Amérique en guerre avec l'Irak et non avec le terrorisme –, mais exaspéra un régime « spectateur » hostile, augmentant le risque d'une guerre absolument pas désirée avec lui – une guerre qui, si elle survient, n'aura vraisemblablement aucune répercussion profonde sur la véritable guerre contre le terrorisme.

À cet égard, la doctrine préventive pure et dure se révèle encore pire que sa version dissuasive. Car, alors qu'en mode dissuasif la guerre préventive se réserve simplement le « droit souverain » à une frappe préventive (Colin Powell à Davos en 2003), en mode préventif elle exerce ce droit, écartant des effets de dissuasion éventuels et frappant sans se soucier des réactions de l'adversaire. Elle paie le prix fort qui consiste à entrer dans une guerre dont on a eu l'initiative, sans être en mesure d'assurer que les bénéfices variables et totalement incertains des conséquences annuleront ces coûts, même dans le cadre limité de ses propres calculs rationalistes. C'était sans doute la raison de la mise en garde prudente de Dick Cheney en 1991 contre la prise de Bagdad. La guerre préventive assume les coûts certains de la guerre sans garantir le butin indéterminé de la paix. Sa logique subjonctive signifie qu'elle entre dans la mêlée en se fondant sur un enchaînement de conditionnels qui, si le vent tourne, feront au mieux de la guerre une très mauvaise opération.

En réponse au 11 Septembre, on estima à juste raison plus coûteux de ne rien faire que d'agir – quasi « suicidaire » (comme le déclara le président en ordonnant l'invasion de l'Irak). À ceci près que l'Irak n'avait pas perpétré le 11 Septembre et ne constituait pas davantage une menace déclarée pour les États-Unis dix-huit mois après. Aucun soldat irakien n'avait mis le pied hors d'Irak depuis que la garde républicaine avait été chassée du Koweït en 1991, aucun agent irakien n'avait été pris en flagrant délit de fomenter la terreur en un quelconque point du globe, aucune arme de destruction massive n'avait été découverte par les inspecteurs des Nations unies avant la guerre ni par les occupants américains après celle-ci (du moins pendant les premiers mois). Or, avec une guerre préventive contre le terrorisme visant Bagdad, les coûts se révélèrent très élevés d'entrée de jeu (des Nations unies hostiles, des alliés en colère, des musulmans furieux, des pertes américaines, des civils irakiens tués, la production pétrolière ralentie, les musées, bibliothèques et universités pillés, des coûts de guerre importants) pour des bénéfices non garantis dans un proche avenir (la démocratie ? d'autres États voyous tenus en respect ? les terroristes mis hors d'état de nuire ? [pas à Riyad ni à Casablanca !]). L'Irak a détourné l'attention d'autres buts stratégiques, à savoir cultiver les alliances de l'Amérique, renforcer les Nations unies, empêcher l'Iran, la Syrie et la Corée du Nord de produire les armes nucléaires qu'ils ont clairement la capacité de développer, et surtout continuer la guerre contre les véritables (bien qu'invisibles) terroristes, toujours actifs et efficaces. Tous ces coûts représentent le prix élevé payé pour des bénéfices à long terme que rien ne garantit.

Lorsque la guerre au terrorisme est comprise comme une guerre classique de légitime défense, même si elle est menée avec des moyens non traditionnels contre des ennemis non conventionnels (ne se réclamant d'aucune patrie) auteurs de formes d'agression non conventionnelles, le remède en vaut toujours le prix, car la partie lésée peut calculer le dommage déjà causé par l'agression ennemie. Mais, dans le cas d'une guerre réellement préventive en l'absence d'agression caractérisée, l'inverse est vrai : les coûts sont assurés, les bénéfices indéterminés.

L'histoire se déroule sous l'emprise de ce que Hegel appelait la « ruse de la raison », comme aucun agent libre ne l'aura prévu ni souhaité. L'Amérique a souvent préparé le terreau dans lequel ses ennemis d'aujourd'hui nourrissent leur force. L'Irak a acquis beaucoup de ses armes, dont l'anthrax, avec l'appui direct des États-Unis et les a utilisées avec leur assentiment tacite à une époque où l'inimitié de l'Amérique envers l'Iran faisait de l'ennemi de son ennemi (l'Irak) son ami. (Donald Rumsfeld a rendu visite à Saddam Hussein au début des années 1980, période à laquelle ce dernier déployait ces armes.) L'Amérique a contribué à armer et à soutenir les moudjahidin contre l'occupation soviétique en Afghanistan dans les années 1980 et a récolté dix ans après les talibans et leur soutien à Al-Qaida.

L'Amérique a été vaincue par le Viêt-nam du Nord, mais considère aujourd'hui son gouvernement comme un partenaire commercial et, au moins, un pays neutre dans ses querelles actuelles. L'État voyou naguère le plus célèbre de la planète, la Libye de Khadafi, coopère à présent avec les États-Unis dans leur guerre contre le terrorisme et préside la Commission des droits de l'homme des Nations unies (quoique pas vraiment en raison du soutien américain). Gerry Adams, le chef politique tristement célèbre de l'IRA, rencontre désormais les dirigeants de la planète.

Cuba, depuis longtemps en butte aux sanctions, à l'intimidation armée, à l'assassinat et à l'hostilité irréductible de l'Amérique, Cuba à cause de qui les États-Unis ont été à deux doigts d'une épreuve de force nucléaire avec l'Union soviétique, reste sous la poigne de Fidel Castro et de sa variante personnelle du communisme militant alors que l'Union soviétique a disparu depuis belle lurette. Chassés de Somalie par un chef de guerre sanguinaire et trahis au Soudan par un gouvernement hostile, les États-Unis ne comptent pas moins aujourd'hui la corne de l'Afrique comme l'une des parties du monde les moins turbulentes, en tout cas à leurs yeux. Même le gouvernement du Soudan, centre nerveux du terrorisme quelques années auparavant, a manifesté un minimum de coopération pour débusquer les terroristes dans la période qui a suivi le 11 Septembre.

En revanche, l'Égypte, qui a bénéficié des largesses américaines plus que toute autre nation au monde hormis Israël, et l'Arabie Saoudite, l'allié pétrolier de l'Amérique le plus important et le plus proche, inspirent aujourd'hui le doute et la méfiance. Avec son soutien à l'islam wahhabite militant, sa monarchie répressive et l'implication de ses citoyens mécontents dans des activités terroristes hors de ses frontières (et maintenant sur son territoire), l'Arabie Saoudite favorise peut-être en sous-main la montée en puissance d'Al-Qaida plus que n'importe quel membre de l'axe du mal[1]. Le Pakistan, allié de l'Amérique, est vraisemblablement plus que l'Irak une source d'armes de destruction massive pour les terroristes et, malgré son président ami, il souffre des turbulences d'une population qui se méfie profondément de l'Amérique. Il grouille de

1. Voir, par exemple, Dore Gold, *Hatred's Kingdom : How Saudi Arabia Supports the New Global Terrorism*, Washington, Regnery Publishing, 2003.

réfugiés de la guerre en Afghanistan dont les enfants sont élevés dans des madrasas fondamentalistes et qui considèrent les États-Unis comme leur pire ennemi. Fouillant dans les détritus pour trouver à se nourrir, un Afghan de vingt-deux ans réfugié de la guerre de libération menée par l'Amérique répondait à un reporter américain qui lui avait demandé son sentiment sur les Américains : « Si j'étais le maître du monde, je les tuerais tous[1]. » C'est ainsi que la ruse de la raison berne ceux qui croient leurs plans de guerre infaillibles et jugent aberrant le désir de paix des autres pays.

Dans une démocratie, les doutes et l'humilité quant à l'étendue de nos certitudes doivent être partagés avec les citoyens. Après tout, reconnaître que je peux avoir tort et mon adversaire raison est au cœur même du dogme démocratique. Dans le monde du savoir certain, les philosophes platoniciens – connaisseurs de la Vérité – gouvernent ; dans un monde où le savoir certain n'existe pas, le doute plaide de façon convaincante en faveur de la démocratie : la vérité, si elle existe, n'appartiendra qu'à quelques-uns ; l'erreur est notre lot à tous. Y compris nos dirigeants.

Lire l'histoire à la lunette du doute démocratique et en y cherchant la logique de conséquences non intentionnelles se répercute clairement sur les orientations choisies. Cette lecture encourage des politiques qui minimisent la prise de risques majeurs, car les gratifications en fin de parcours se révèlent trop incertaines. La guerre préventive exige un examen des chaînes causales et des enchaînements de faits beaucoup moins sûr et bien plus sujet aux caprices et au hasard que les

1. David Rohde, « A dead end for Afghan children adrift in Pakistan », *New York Times*, 7 mars 2003, p. A3.

analyses liées à la dissuasion traditionnelle – déjà suffisamment compliquées et dangereuses en soi. Elle est donc infiniment plus risquée. Comme le sénateur Jay Rockefeller le soulignait en commentant la faillite du renseignement à propos des ADM en Irak : « Si l'on doit avoir une doctrine de préemption, on a sacrément intérêt à avoir des services de renseignement plus que parfaits[1]. »

L'attitude ambivalente de Bush en matière d'incertitude et de risque apparut en pleine lumière lors d'une conférence de presse, le 7 novembre 2002, où il tenta laborieusement d'assurer à l'Amérique que la guerre n'était pas inévitable tout en garantissant à Saddam Hussein qu'elle l'était. Il commença par une entrée en matière dont la clarté exprimait sa volonté inébranlable : « Nous avons l'obligation de diriger [...]. Et j'ai l'intention d'assumer cette obligation afin de renforcer la paix dans le monde. » Parfait : la guerre préventive a pour but d'empêcher une véritable guerre. Mais : « Entendez-moi bien, toute action que nous entreprenons comporte une part de risque. Mais le risque de ne rien faire n'entre pas dans mes options. Ne rien faire est plus risqué que faire notre devoir de renforcer la paix dans le monde. » Moins limpide, certes, mais les sociologues conviendraient que la décision de ne rien faire, la non-décision comme on l'appelle, est en soi une décision, et qu'elle peut avoir des conséquences. Or, à mesure que la logique du président passe au mode subjonctif, le tableau possible qu'il tente de brosser se brouille : « Évidemment, j'ai pesé toutes les conséquences », assure-t-il à ses auditeurs

1. Cité par John Diamond et Bill Nichols, « Bush's war doctrine questioned », *USA Today*, 6 juin 2003, p. A8.

inquiets, au cas où ils ne croiraient pas ses propos sur le risque de ne rien faire. Néanmoins, espère-t-il encore, « nous pouvons y parvenir par des voies pacifiques », s'empressant d'ajouter : « Comprenez-moi bien [...] si le monde s'unissait pour le faire [résoudre la situation de manière pacifique] et pour intensifier la pression sur Saddam Hussein et le convaincre de désarmer, il existe une chance qu'il s'y décide. » Dans sa conclusion, il s'enfonce dans un bourbier d'illogisme au subjonctif : « Et la guerre n'est pas mon premier choix, ne vous y trompez pas, c'est mon dernier choix. Mais elle est néanmoins un... elle est une option destinée à instaurer plus de paix dans le monde[1]. »

La syntaxe ici ne montrait pas seulement un président parfois en délicatesse avec les mots, mais aussi le caractère peu maniable, beaucoup plus profond, de la logique de guerre préventive comme instrument de dissuasion. En Irak, si elle fut réellement conçue comme telle, elle échoua. Pourquoi ? En partie parce que la boucle ne peut être bouclée : ce qu'il faut, c'est une menace si redoutable qu'elle annule le danger. Or il existe le risque très réel que le désir de crédibiliser cette menace élimine toute possibilité de réaction rationnelle de la part de l'ennemi visé, qui se voit non pas devant une négociation extrêmement vigoureuse (calculée pour inspirer un changement), mais devant un fait accompli qui annule la pertinence de toutes ses actions – lui donnant la liberté d'agir à sa guise (augmentant le péril !) avant d'être anéanti. C'est ce qui s'est passé en Irak. La logique d'escalade a conduit

---

1. Cité in « Excerpts from news conference : Imagine "Hussein and nuclear weapons" », *New York Times*, 8 novembre 2002, p. A24.

les États-Unis avant la guerre à refuser d'exclure l'utilisation d'armes nucléaires en Irak, bien que l'interdiction de développer et d'utiliser des armes de cette nature fût au cœur de leur invasion[1].

La logique de guerre préventive vise à dissuader les velléités d'hostilité de l'adversaire. En vertu de quoi elle les encourage. L'Amérique use d'un vocabulaire moralisateur et cassant pour justifier un coup d'arrêt préventif destiné à subjuguer ses adversaires et s'étonne qu'ils se sentent provoqués. Paradoxalement, ce pharisaïsme persuade les Américains qu'ils n'agiront que pour convaincre les ennemis de l'Amérique que celle-ci agira même si elle n'a aucune raison de le faire.

Or une nation attachée au principe selon lequel la guerre doit toujours être justifiée, supérieure aux autres dans sa poursuite de la vertu, doit forcément répondre à un critère très exigeant pour prendre les armes. Les démocraties, qui voient traditionnellement la guerre comme un dernier recours seulement utilisable en cas de légitime défense ou pour répondre à une menace si imminente qu'elle équivaut à une agression, doivent adhérer aux critères les plus exigeants. À ce niveau, la guerre préventive et la démocratie sont tout simplement en contradiction l'une avec l'autre. Comment une

1. Le commandement stratégique des États-Unis établit un « Plan d'action nucléaire » sur le théâtre, qui énumérait les cibles irakiennes pouvant faire l'objet d'une frappe nucléaire, tandis que Donald Rumsfeld, sous prétexte de dissiper toute inquiétude, précisait : « Nous n'exclurons pas l'usage éventuel d'armes nucléaires si nous sommes attaqués. » Cette déclaration prit la forme d'un avertissement : « Nous ferons ce qu'il convient de faire en utilisant des moyens conventionnels. » Pour une analyse critique, voir Nicholas D. Kristof, « Flirting with disaster », *New York Times*, 14 février 2003, p. A31.

démocratie peut-elle concilier le respect obligatoire du doute et de la fragilité humaine, et la compréhension des conséquences non intentionnelles qu'elle tire de l'expérience, avec une doctrine stratégique qui ne fait aucune part à l'erreur dans un monde où il n'existe pas d'« intelligence* plus que parfaite » ?

---

* L'auteur joue ici sur les deux sens d'*intelligence* en anglais : intelligence, et services de renseignement. *(NdT)*

DEUXIÈME PARTIE

Lex humana, ou la démocratie préventive

6

La démocratie préventive

Le lien de notre humanité commune est plus fort
que les divisions de nos peurs et de nos préjugés.
Dieu nous donne la capacité de choisir.
Nous pouvons choisir d'alléger les souffrances.
Nous pouvons choisir de travailler ensemble à la paix.
Jimmy CARTER, 2003[1].

Douillettement nichée dans la logique illicite du caractère exceptionnel de l'Amérique, forte de sa croyance en la vertu de la *pax americana* et en l'efficacité de la peur, la doctrine de guerre préventive n'engendre pas simplement une idée de priorité – L'Amérique d'abord ! » – peu faite pour instaurer la sécurité dans un monde interdépendant, mais une approche restrictive – « Seulement l'Amérique ! » – qui confère aux États-Unis des prérogatives déniées aux autres nations souveraines. Toute autre proposition visant à combattre le terrorisme doit reconnaître aux États-Unis le droit de n'importe quelle nation souveraine à déterminer les conditions de sa propre sécurité, mais le faire conformément aux traditions libérales de

1. Discours d'acceptation du prix Nobel, Oslo, Norvège, 10 décembre 2002.

l'Amérique et aux impératifs du droit international (ce qui revient au même).

Une stratégie nationale de sécurité efficace doit mettre l'Amérique à l'abri du terrorisme sans détruire la liberté qui inspire son combat, et elle doit vaincre la terreur sans payer le prix de la peur. Elle doit avoir valeur de modèle pour n'importe quelle nation souveraine désireuse de garantir sa propre sécurité. Elle doit s'ancrer dans le réalisme, et non dans l'idéalisme. Une politique exigeante qui est morale et conforme au droit mais ne protège pas des attaques terroristes ne vaut guère mieux qu'une politique qui fait barrage à la terreur mais détruit les valeurs au nom desquelles cette lutte est menée. J'appelle démocratie préventive la doctrine stratégique qui satisfait à ces critères.

La démocratie préventive tient que la seule et unique doctrine préventive capable de protéger les États-Unis (ainsi que les autres nations du globe) contre l'anarchie, le terrorisme et la violence est la démocratie elle-même : la démocratie au sein des nations et la démocratie dans les conventions, institutions et réglementations qui gouvernent les relations entre deux, plusieurs ou toutes les nations. Ce que signifie la démocratie est certes sujet à débat ; comme je m'en expliquerai longuement ci-dessous, elle va infiniment plus loin que les élections et la règle de la majorité, et ne se met en place qu'au terme d'un processus long et assidu.

Par définition, les démocraties se font rarement la guerre. Le corollaire de ce vieux truisme est que les démocraties engendrent rarement le terrorisme international et la violence internationale. La violence sectaire exercée au nom d'une identité ethnique ou d'aspirations séparatistes peut nourrir la violence *au sein* des démocraties – on l'a vu avec l'IRA en Irlande du Nord, l'ETA au Pays basque espagnol, ou avec les activités des « milices » aux États-Unis. Et les idéologies extrémistes comme celles qui inspiraient la bande à Baader de l'Allemagne ou les Brigades rouges de l'Italie peuvent perturber la politique intérieure de démocraties stables par ailleurs. Mais les organisations figurant sur la liste de l'organigramme terroriste du département d'État opèrent dans leur grande majorité à l'intérieur de régimes non démocratiques ou sont commanditées et soutenues par des régimes non démocratiques. Leurs activités visent en général des régimes démocratiques, en partie parce que ceux-ci soutiennent la tyrannie ou l'occupation, en partie parce que leurs sociétés ouvertes se montrent infiniment plus accueillantes à un mouvement autonome et anonyme, et donc infiniment plus vulnérables aux activités terroristes que les États policiers souvent à l'origine de leur fureur meurtrière. Où, sinon en Amérique, des terroristes résolus à porter la destruction pouvaient-ils être ainsi accueillis et solliciter une formation et un soutien logistique (enseignement technique, apprentissage du pilotage, formation à la programmation sur Internet) pour leur mission, chez ceux-là mêmes qu'ils voulaient assassiner ?

Malgré la « répugnance » que lui inspira en d'autres temps la stratégie de *nation building**, l'administration Bush reconnaît la protection qu'offre la démocratie contre les incursions du terrorisme. Aussi ambitionne-t-elle aujourd'hui de démocratiser d'anciens régimes ennemis comme l'Afghanistan et l'Irak et imagine-t-elle un effet domino de la démocratie, par lequel la démocratisation se déploierait dans des régions entières

* « Construction de la nation ». (*NdT*)

comme le Proche-Orient. Mais la démocratie ne s'impose pas à la pointe du fusil d'un étranger bien intentionné. Elle ne naît pas des cendres de la guerre, mais d'un passé de luttes, de travail civique et de développement économique. Elle ne peut avoir de parenté avec la guerre préventive centrée sur l'État. Et pas davantage s'édifier avec des matériaux exportés par une armée américaine conquérante se posant en « libérateur », ni dans l'ombre de sociétés américaines du secteur privé et d'organisations non gouvernementales (ONG). Parmi les entreprises invitées à soumettre des offres pour la reconstruction de l'Irak, on trouvait Bechtel (et une filiale appartenant en partie à la branche « respectable » de la famille Ben Laden), Parson Corporation et Washington Group International, ainsi que Kellogg, Brown & Root, une filiale de Halliburton (naguère dirigé par le vice-président Dick Cheney) qui a construit des cellules pour les détenus de Guantánamo[1]. La démocratie se développe lentement et exige les efforts des intéressés, l'encouragement des institutions civiques locales et un esprit citoyen soigneusement

1. Elizabeth Becker, « US business will get role in rebuilding occupied Iraq », *New York Times*, 18 mars 2003, p. A18. D'après Neil King Jr., du *Wall Street Journal* : « Le projet audacieux de reconstruction de l'Irak de l'administration Bush prévoit un remaniement radical de la société irakienne en moins d'un an après la fin de la guerre, mais confie une grande partie du travail à des sociétés privées américaines. Le plan Bush, détaillé dans plus de cent pages de contrats confidentiels, mettrait sur la touche les institutions de développement des Nations unies et les organisations multilatérales qui ont longtemps dirigé les activités de reconstruction, notamment en Afghanistan et au Kosovo. Le projet tiendrait largement à l'écart aussi de grandes organisations non gouvernementales » (« Bush has an audacious plan to rebuild Iraq », *Wall Street Journal*, 17 mars 2003, p. 1).

cultivé qui repose en grande partie sur l'éducation. Des sociétés du secteur privé peuvent engranger des bénéfices, mais Lawrence Summers a mis en évidence la contradiction qu'il y avait à tabler sur les capitaux privés à des fins publiques lorsqu'il a déclaré en 1995 au Congrès : « Pour chaque dollar donné par le gouvernement américain à la Banque mondiale, les sociétés américaines ont reçu 1,35 dollar en contrats d'achats[1]. » Un esprit cynique pourrait faire valoir aujourd'hui que pour chaque dollar versé par le parti républicain aux campagnes électorales, des sociétés amies peuvent espérer un retour sur investissement d'un million de dollars grâce aux contrats de reconstruction de l'Irak[2].

L'histoire d'une Allemagne démocratisée et d'un Japon libéralisé reconstruits sur les cendres des tyrannies vaincues de la Seconde Guerre mondiale offre un récit émouvant et exemplaire, et l'on comprend que les avocats de la reconstruction de nations au sortir d'une guerre, comme l'Afghanistan et l'Irak, plaident ce dossier. Mais c'est une histoire de pays agresseurs amenés à terre, amèrement désenchantés par un demi-siècle de guerre et

---

1. William Finnegan, « After Seattle », *The New Yorker*, 17 avril 2000. Alors haut responsable de l'administration Clinton, Summers émettait un éloge et non une critique, car il pressait le Congrès de soutenir la Banque mondiale.

2. Pour prendre un exemple, Richard Perle, conseiller de Donald Rumsfeld et ancien président du Bureau de la politique de défense, fut engagé par la compagnie de télécommunications Global Crossing, aujourd'hui en dépôt de bilan, à l'époque où il conseillait le Pentagone. Sur ses 725 000 dollars d'émoluments, 600 000 auraient été subordonnés à l'obtention de l'accord du Pentagone pour la vente de Global Crossing à une entreprise en participation de Hong Kong. Voir Maureen Dowd, « Perle's plunder blunder », *New York Times*, 23 mars 2003, sect. 4, p. 13.

confrontés dans une solitude absolue au monde de l'après-guerre, la mer sur laquelle naviguaient leurs idéologies empoisonnées étant désormais asséchée et disparue ; c'est une histoire de coopération, de soutien économique massif, d'éducation civique extensive, d'engagements à long terme de la part de l'Amérique (des troupes sont encore présentes dans les deux régions près de soixante ans après la fin du conflit) ; et c'est l'histoire de l'engagement personnel de l'Amérique, décisif et à long terme (et très coûteux), à bâtir des institutions internationales et à créer un cadre juridique international pour le redressement économique, la formation civique et la démocratisation[1]. C'est en fait cette armature qui permit la double réussite d'après-guerre en Europe et en Asie. L'histoire de l'Europe est en réalité, et sans équivalent, celle de la démocratie préventive – et cela explique peut-être son antipathie actuelle pour le credo américain de guerre préventive. L'éloge de pure forme accordé au plan Marshall par l'administration Bush ne deviendra crédible que lorsqu'on pourra le mesurer à l'aune du personnel engagé, des dollars alloués et des années consacrées à concrétiser ces objectifs déclarés. Ce que la réalité paraît démentir. Usant du langage musclé des inconditionnels de la guerre en Irak, la rédaction de *New Republic* publia après la guerre un

---

1. Malheureusement, c'est aussi une histoire de peur de la guerre froide, et de prompts pardon et réintégration des gestionnaires, responsables, juges et administrateurs de la hiérarchie nazie intermédiaire dans la nouvelle Allemagne « démocratique ». Voir Norbert Frei, *Adenauer's Germany and the Nazi Past : The Politics of Amnesty and Integration*, New York, Columbia University Press, 2003.

dossier intitulé : « Mission NON accomplie : Bush se prépare à abandonner l'Irak[1] ».

La démocratie préventive en tant que doctrine stratégique requiert deux éléments constitutifs aussi essentiels l'un que l'autre. D'abord, une composante militaire et de renseignement dans laquelle on peut voir une « guerre préventive non dirigée contre un État ». Cette forme limitée de guerre préventive vise et détruit exclusivement les agents, cellules, réseaux, bases d'entraînement et d'armement et organisations terroristes. On pourra débattre des groupes et des individus tombant sous la qualification de terroristes, mais leur traque ne viole pas la souveraineté d'États indépendants. Ensuite, une composante de construction de la démocratie – avec des projets comme CivWorld (voir le chapitre 9) – qui met en place la démocratie préventive. CivWorld (et de nombreux programmes similaires) concentre ses efforts sur la création des conditions requises au sein des États et entre les États pour stimuler le développement d'institutions et de comportements démocratiques autochtones à l'intérieur des nations, ainsi que d'institutions gouvernementales et de comportements démocratiques planétaires entre les nations.

La guerre préventive non dirigée contre un État applique la logique de guerre préventive telle qu'elle fut conçue à l'origine – contre les martyrs ne se réclamant d'aucune patrie et contre les individus et organisations terroristes qui, par leur comportement, ont déclaré la guerre aux États-Unis et/ou à leurs alliés. À strictement parler, la guerre préventive vue dans ce cadre est une guerre défensive et non de préemption. Elle est toujours

1. Dossier, *New Republic*, 26 mai 2003.

dirigée contre l'ennemi déclaré – les terroristes – et jamais contre les parties coupables d'association avec des malfaiteurs à des degrés de plus en plus éloignés ; jamais, par exemple, contre des États qui auront contribué à les financer, accueillir, commanditer ou soutenir d'une manière ou d'une autre, sauf si leur action constitue un acte de guerre avéré (la fourniture en toute connaissance de cause d'une arme nucléaire à un groupe projetant de l'utiliser contre les États-Unis, par exemple). Là où les terroristes visés sont attaqués à l'intérieur des frontières souveraines d'un État hostile (et même ami, ce qui est arrivé lorsqu'un missile américain pulvérisa un cadre terroriste au volant de sa voiture au Yémen), tout doit être fait pour reconnaître la souveraineté de cette nation et traiter l'intervention comme un cas spécial, exécuté dans l'idéal avec son autorisation (quoique ce ne soit pas toujours faisable). Cette tactique exempte en effet la nation dont l'intégrité territoriale a été violée de toute responsabilité à l'égard des terroristes visés – exactement l'inverse de ce que fait actuellement la guerre préventive dirigée contre un État ; étant admis qu'un terroriste international opérant dans un État le fait en réalité hors de la souveraineté de l'État et représente donc une cible légitime.

Une telle tactique repose sur l'illusion, à laquelle les deux parties doivent adhérer, qu'une frappe chirurgicale ne porte pas atteinte à la souveraineté de l'État ; mais la légitimité et la légalité se nourrissent de ce genre d'illusions. Tout en soulevant ses propres questions de légitimité, cette tactique reste de loin préférable à la guerre préventive contre des États souverains. Appelons-la « option Osirak », par référence à la frappe unique d'Israël en 1981 contre le réacteur nucléaire du même nom sur le sol irakien, qui suscita des débats enflammés.

C'était une frappe d'une légitimité douteuse ; mais, parce qu'elle était limitée et dirigée contre une installation réellement capable de produire des armes de destruction massive, et visait clairement à supprimer une menace et non à attaquer une nation, les Israéliens s'en tirèrent à bon compte.

Un bon exemple américain se présenta lorsque les États-Unis apprirent au début de 2003 qu'une cellule terroriste du groupe Ansar al-Islam opérait dans le nord de l'Irak et que ses agents (dont le dangereux Abou Moussab al-Zarqawi) avaient été repérés à Bagdad (ainsi qu'en Syrie, en Iran et dans d'autres États voisins). Deux options s'offraient à eux. Fidèle à sa stratégie de guerre préventive dirigée contre un État, le secrétaire d'État Colin Powell utilisa cette information pour étayer le dossier de guerre préventive contre l'Irak qu'il présenta devant le Conseil de sécurité en février 2003. Or une riposte plus pertinente de guerre préventive non dirigée contre un État aurait consisté en une frappe contre le camp de Khurmal, dans le nord de l'Irak (région que ne contrôlait pas vraiment Saddam Hussein). Plus d'un an auparavant, le président Bush avait parlé avec dérision des tirs de missiles coûteux sur des tentes vides dans le désert, mais la seule manière de mener une guerre efficace contre le terrorisme consiste à viser les bonnes tentes avant que leurs occupants se volatilisent. Mais Ansar al-Islam était l'ennemi réel et ses camps d'entraînement la cible appropriée, et non les divers États sur le territoire desquels ses exécutants se déplaçaient, allaient se faire soigner, nouaient des contacts et recueillaient des fonds (pays souvent amis ou alliés des États-Unis). Le temps que Khurmal soit investi pendant la guerre d'Irak, ses habitants terroristes, s'il y en avait, s'étaient enfuis depuis longtemps.

La guerre préventive qui prend pour cible des entités *ne se réclamant d'aucune patrie* peut seule justifier cette digression aux franges de la légitimité – et elle consistera normalement en opérations de police et de renseignement (auxquelles la campagne du président Bush contre le terrorisme après le 11 Septembre doit ses meilleurs résultats). Elle représente la composante militaire immédiate d'une stratégie de démocratie préventive, qui traite le terrorisme comme un parasite autonome et mobile colonisant un organisme hôte – consentant ou non –, mais sans dépendre de lui. Tuer l'hôte donne toute liberté de mouvement au parasite, l'obligeant seulement à partir coloniser un nouvel hôte. Soit on isole et on détruit le parasite (la guerre préventive contre le terrorisme), soit on rend l'organisme hôte inhospitalier au parasite.

La démocratie préventive vise à guérir l'organisme infecté et à le rendre moins réceptif aux parasites. Ses tactiques à long terme sont essentiellement civiques, économiques, culturelles et diplomatiques. Un tel angle d'approche a pour objectif d'instaurer, avec le temps, un monde composé de démocraties agissant en interaction dans un monde démocratique. Un monde de démocraties civiques saines ne ferait aucune place à la terreur. Un monde aux relations économiques, sociales et politiques régies par voie démocratique se trouverait relativement à l'abri des inégalités profondes ou de la pauvreté taraudante, et donc moins vulnérable à la violence systématique.

Une stratégie nationale de sécurité fondée sur la doctrine de démocratie préventive – et ses critères d'évaluation – place au-dessus de tout la sécurité nationale de la nation, qu'il s'agisse des États-Unis ou de n'importe quel autre pays. Vient ensuite la sécurité des autres. En troisième lieu, les valeurs et les normes qui définissent la démocratie (américaine ou non) dans ce qu'elle a de meilleur et les normes d'un ordre international légal et juste (en espérant qu'on parviendra à les mesurer). Ces trois séries d'objectifs devront être en concordance, mais, concordance ou non, la référence par excellence de toute politique nationale de défense doit être la sécurité – et non quelque métaphore de la sécurité ou des valeurs telles que la liberté et la justice qui n'établissent pas, par elles-mêmes, la sécurité. On ne peut attendre d'aucune nation, si idéaliste soit-elle, qu'elle se mette en danger, encore moins se suicide, au nom de ses valeurs, si chères soient-elles à son cœur. La démocratie préventive répond à ce standard strict. Ses vertus sautent aux yeux au regard des treize règles qu'on peut déduire des leçons de l'histoire et de l'examen de la logique de guerre préventive qui nous ont permis d'arriver à ce point de l'argumentation en faveur de la démocratie préventive. Mesurée à la même aune, la doctrine de guerre préventive dirigée contre un État met en évidence les défauts qui rendent ses conséquences si catastrophiques pour la sécurité américaine.

TREIZE RÈGLES DE SÉCURITÉ NATIONALE À L'ÂGE DE LA TERREUR

1. *Les États ne sont pas l'ennemi*, car les terroristes ne sont pas des États.

2. *La guerre est irrationnelle* ; les règles du comportement rationnel ne peuvent en prévoir l'issue – l'inaction et l'action ayant l'une comme l'autre des conséquences indépendantes de la volonté.

3. *La guerre est le dernier recours* – un « échec » et non un « instrument de politique ».

4. *Le premier à la faire est le premier à payer* : les coûts assurés du déclenchement d'une guerre pèsent plus lourd que les bénéfices non garantis de « gagner » une guerre, car les coûts de départ doivent *obligatoirement* être acquittés. Aussi les démocraties assument-elles une certaine responsabilité lorsqu'elles endossent le coût de partir en seconde position.

5. *Le terrorisme et la puissance militaire conventionnelle sont incommensurables* ; donc, les armes conventionnelles ne vaincront pas le terrorisme.

6. *La seule arme du terrorisme est la peur* : une stratégie nationale de sécurité efficace doit la diminuer et non l'accroître, ce qui signifie que la peur ne peut pas vaincre la peur.

7. *Les terroristes sont des criminels internationaux* ; s'ils sont faits prisonniers, ils doivent être traités conformément au droit international.

8. *Les armes de destruction massive prescrivent « pas de première frappe »* ; l'utilisation « tactique » ou préventive d'armes stratégiques exerçant une violence massive est exclue.

9. *Les stratégies de légitime défense peuvent être universalisées* ; elles ne doivent pas s'ancrer dans la notion d'« exceptionnalité ».

10. *La préemption ne peut s'appliquer qu'à des cibles spécifiques* ; pour protéger la souveraineté, les mesures de contre-terreur préventives ne peuvent viser que des terroristes.

11. *Un changement de régime ne peut fonder une guerre préventive contre le terrorisme* ; imposé de l'extérieur, il constitue une atteinte à la souveraineté sans s'appliquer aux terroristes.

12. *Un régime d'inspections sous contrainte est toujours préférable à la guerre* ; les inspections sous

contrainte limitent la guerre et respectent la souveraineté fondamentale.

13. *Des stratégies nationales de sécurité unilatérales sont contradictoires* ; l'unilatéralisme est un accessoire de la souveraineté, mais il ne peut être garanti dans un âge d'interdépendance.

La démocratie préventive respecte mieux ces règles, à tous égards, que la guerre préventive dirigée contre un État. Or son avènement représente une tâche plus intimidante que ne le laissent entendre les slogans qui y sont souvent associés. Elle se révèle à peine moins difficile à mettre réellement en place que la guerre préventive. Elle ne revendique que deux vertus : elle s'émancipe de l'empire de la peur en cherchant à se protéger de la terreur ailleurs que dans une peur à la mesure de cette terreur ; et elle fonctionne.

7

On ne peut pas exporter McWorld et l'appeler démocratie

Si la mondialisation est simplement gouvernée par les lois du marché appliquées de façon à convenir aux puissants, les conséquences ne peuvent être que négatives.
Jean-Paul II[1].

Le capitalisme mondial n'apporte pas forcément le progrès et la prospérité à la périphérie [...]. Le capital étranger [...] est aussi une puissante source de subornation et de corruption.
George SOROS[2].

Le désir de favoriser l'expansion de la démocratie forme une composante déterminante de la démocratie préventive comprise comme politique nationale de sécurité, mais on confond souvent ce soutien avec le désir tout aussi intense d'exporter le capitalisme et de cultiver les marchés mondiaux. Beaucoup crurent que, dans les pays qui sortaient de la longue nuit du communisme

1. Exhortation apostolique, Mexico, 28 janvier 1999 ; cité par Alessandra Stanley, « Pope urges bishops to minister to the rich », *New York Times*, 24 janvier 1999, sect. 1, p. 10.
2. Correspondance personnelle avec l'auteur, 2000.

soviétique, l'économie de marché et la privatisation du capital marquaient les premières lueurs de l'aube. L'administration Clinton tout autant que l'administration Reagan parlaient de *démocratie de marché* en faisant de la démocratie le synonyme de l'économie de marché, comme si la méthode de la « douche froide » en économie, en l'occurrence la brusque privatisation du pouvoir et des richesses, pouvait laver les péchés de l'économie planifiée. La déformation totalitaire du concept de biens collectifs opérée par le communisme semblait condamner par association la notion même de collectif.

Confondre la démocratisation avec la libéralisation économique revient à confondre la propagation de la liberté avec la dissémination de McWorld – cette mixture alléchante de commercialisme américain, de consumérisme américain et de marques américaines qui, je l'ai montré ailleurs, a gouverné le processus de mondialisation. Quand la culture de Disney devient synonyme de l'éthique de liberté et que le consommateur finit par se confondre avec le citoyen, alors la démocratisation authentique a déraillé. Or cette vision marchande de la démocratisation est au cœur même de la stratégie américaine de construction de la nation au lendemain d'une guerre en des endroits comme l'Afghanistan et l'Irak. Elle pose essentiellement que des marchés libres feront des hommes et des femmes libres, que les marchés et la démocratie sont quasi la même chose. Même les censeurs avertis de la marchandisation confondent parfois la construction de la démocratie civique avec la dissémination des marchés. Dans un exposé critique et par ailleurs convaincant de la façon dont l'exportation de l'économie de marché « engendre la haine ethnique et l'instabilité mondiale », Amy

Chua, professeur à la faculté de droit de Yale, allègue que « la dissémination mondiale des marchés et de la démocratie constitue une cause principale, aggravante, de la haine de groupe et de la violence ethnique », ajoutant que ce n'est pas simplement le marché mais la démocratie elle-même qui apparaît comme une « panacée[1] ». Fareed Zakaria partage cette vision simpliste et inamicale de la démocratie en la réduisant à des élections, mais, ami des marchés, il lance un avertissement : la vraie menace vient des théoriciens de la démocratie qui sont aujourd'hui « pour la plupart des extrémistes partisans d'une démocratie totale et sans entraves[2] ». Pour lui, à la différence d'Amy Chua, le libéralisme des marchés n'aggrave pas les incertitudes de la démocratie, mais les atténue. Le néolibéralisme n'est pas le problème, mais la solution. « Ce qu'il nous faut en politique aujourd'hui », écrit-il, débouchant sur la même conclusion qu'Amy Chua en venant de la direction opposée, « ce n'est pas plus de démocratie, mais moins[3] ».

Au vu de la fréquence avec laquelle les administrations américaines ont fusionné « marché » et « démocratie » dans une même phrase, et compte tenu de la conviction de Fareed Zakaria que l'économie de marché et la marchandisation néolibérales peuvent seules sauver la démocratie de ses propres démons, comment s'étonner que la différence entre capitalisme agressif et démocratie agressive échappe aux adversaires de la démocratie à l'étranger ? Toutefois, comme Amy Chua, ils risquent de jeter le bébé de la liberté

1. Chua, *World on Fire*, *op. cit.*, p. 9, 13.

2. Fareed Zakaria, *The Future of Freedom : Illiberal Democracy at Home and Abroad*, New York, W.W. Norton, 2003, p. 245.

3. *Ibid.*, p. 248.

en voulant vider l'eau du bain économique. Les forces du marché et la démocratisation se révèlent éminemment dissociables, comme le prouvent de façon éclatante les plans de l'administration Bush pour l'Irak de l'après-guerre. Avant même le déclenchement du conflit, le gouvernement avait lancé un appel d'offres aux grosses sociétés du secteur privé américain pour des contrats de reconstruction. Les censeurs fixèrent leur œil sourcilleux sur les liens flagrants qui unissaient quelques membres de l'administration et les sociétés intéressées (Halliburton, par exemple), mais on accorda moins d'attention au fait que la reconstruction était à la fois privatisée et américanisée – les ONG internationales et les institutions publiques restaient presque invisibles dans les plans d'après-guerre du président Bush, qui prévoyaient dans un premier temps d'installer un administrateur militaire et civil (Jay Garner, chef du nouveau Bureau de reconstruction et d'assistance humanitaire, mais ancien général) sous la direction générale du chef du Commandement central, le général Tommy R. Franks, avant de lui préférer un civil, Lewis Palmer Bremer III, beaucoup plus militant semblait-il. Bref, une direction civile pas comme les autres.

Amy Chua a peut-être raison de penser que les marchés ont englouti la démocratie sur la carte actuelle du monde, mais la démocratie tint en d'autres temps le capitalisme en lisières. La symétrie historique qui associait démocratie et capitalisme au sein des sociétés, et faisait de l'État-nation démocratique le régulateur, l'élément humanisant et le moniteur le plus efficace de l'économie de marché, manque aujourd'hui à l'appel. La place du marché s'est mondialisée bon gré mal gré parce que les marchés peuvent filtrer à travers des frontières nationales poreuses et ne sont pas plus bridés par la logique de souveraineté que par le syndrome de la pneumonie atypique, la criminalité ou le terrorisme.

Or la démocratie reste enfermée dans la boîte de l'État-nation, laissant le capital mondial libre d'agir en toute impunité. Aujourd'hui, l'Amérique ne s'inquiète pas d'exporter la démocratie de l'économie de marché, mais de libérer les marchés et de mondialiser les capitaux des sociétés en qualifiant de démocratie ce secteur d'activité.

L'histoire du capitalisme et de l'économie de marché a longtemps été celle d'une synergie avec les institutions démocratiques. Mais synergie n'est pas similitude. La libre économie a grandi au sein d'États démocratiques qui l'ont stimulée, tenue en lisières et régulée. La démocratie a constitué une condition préalable à l'économie de marché, et non l'inverse. À mesure que la représentation et le vote ont gagné du terrain, le capitalisme d'entreprise s'est développé à leurs côtés. C'est seulement au XIXe siècle, bien après que la constitution non écrite de la Grande-Bretagne eut pris des orientations clairement démocratiques, que le capitalisme industriel de masse et le libre-échange sont devenus la marque de fabrique de l'économie britannique et de l'Empire britannique. La liberté des marchés qui a contribué à nourrir la liberté en politique et l'esprit de compétition dans les affaires publiques s'est vue elle-même conditionnée, historiquement, par les institutions démocratiques. Aux États-Unis, le capitalisme industriel ne prit son essor qu'après la guerre de Sécession, lorsque le droit de vote fut universellement reconnu au genre masculin. Le droit et les réglementations contractuels ainsi que la coopération civique et les institutions communautaires locales ont adouci les traits darwinistes du capitalisme et bridé ses tendances au monopole, à l'inégalité et à d'autres contradictions autodestructrices. L'âge d'or des *robber barons*, les requins de l'industrie ou de la finance, ne prit fin que lorsque Teddy Roosevelt, Woodrow Wilson et plus tard Franklin Roosevelt placèrent la libre entreprise sous la surveillance régulatrice de l'État démocratique – ne détruisant pas le capitalisme, mais le sauvant de ses contradictions. Dans le secteur international, l'âge des *robber barons* – appelons-les les banques prédatrices et les spéculateurs hors la loi – est de retour. En effet, la nature radicalement asymétrique de la mondialisation a permis au capitalisme de jaillir comme un diable de la boîte où le retenait la démocratie de l'État-nation, encourageant les rapines et l'anarchie mondiale tout en laissant les institutions démocratiques à la traîne. D'aucuns soutiennent que la mondialisation rend les relations internationales plus civilisées et plus démocratiques, mais elle les a au contraire déshumanisées, obligeant le pape Jean-Paul II à lancer une mise en garde contre une globalisation régie par les lois du marché et appliquée pour satisfaire les besoins des puissants. L'idéologie néolibérale de privatisation qui a dominé la réflexion politique au cours des dernières décennies, et qui a défini le contexte tacite de l'attitude américaine envers la démocratisation de la planète, a exercé en réalité un effet corrosif sur la gouvernance démocratique. Contrairement aux fondamentalistes religieux qui alimentent le terrorisme et défient le capitalisme en semant la destruction, les fondamentalistes du marché font cause commune avec la démocratie. Pourtant, le fondamentalisme du marché a peu fait pour la démocratie. Il dédaigne les réglementations démocratiques avec une conviction dogmatique et chérit tout autant, à sa façon, l'anarchie mondiale que les syndicats du crime et les cercles terroristes qu'il combat.

L'orthodoxie néolibérale croit que les marchés peuvent réaliser presque tout ce dont ont besoin les hommes et les femmes libres, à la différence des gouvernements, pas capables de grand-chose en quelque domaine que ce soit. Vue sous cet angle, la démocratie devrait viser à affaiblir les institutions étatiques et non à les affermir, et à ébranler la notion de biens collectifs au lieu de l'avaliser. Comme de nombreuses sociétés tout juste sorties de l'emprise du communisme ou d'idéologies fondamentalistes n'ont connu le régime étatique que sous la forme d'une tyrannie, cette idéologie de marché anti-État n'est pas difficile à vendre. Les critiques adressées au *big government* – l'intervention excessive de l'État – et à la bureaucratie administrative se transforment vite en critique de la démocratie elle-même. « Nous le Peuple » se déforme en « lui le Terrible », et la marche en avant de la démocratie commence à ressembler au démantèlement non seulement de l'économie planifiée, mais aussi de la souveraineté du peuple. La critique du *big governement* devient une offensive contre la gouvernance démocratique.

L'idéologie de privatisation assouplit les individus pour satisfaire la loi des marchés. Elle les encourage à faire bon accueil au capital financier mis au service des capitalistes financiers et oublie qu'il est là pour servir les peuples démocratiques et leurs intérêts. Elle inverse la logique traditionnelle de contrat social sur laquelle l'Amérique fut fondée et qui doit aussi servir de base à un ordre international. Au lieu de privilégier le pouvoir d'une volonté commune et de biens collectifs sur l'anarchie du pouvoir privé, elle célèbre le pouvoir privé dégagé du droit, des réglementations ou de l'État. Elle tient que la liberté ne s'assure pas en cultivant la justice et le droit, mais en garantissant leur absence. Elle refuse avec véhémence la sagesse traditionnelle qui inspire l'engagement historique de l'Amérique envers le multilatéralisme et la construction d'institutions internationales. Ce faisant, elle ne tient aucun compte du « secret de la longue et brillante carrière des États-Unis comme chef de file du monde », à savoir, d'après G. John Ikenberry, « leur aptitude à exercer le pouvoir au sein d'alliances et de cadres multinationaux et leur volonté de le faire, qui rendait leur puissance et leur ordre du jour plus acceptables à leurs alliés et aux autres États déterminants du monde[1] ».

Au lieu de quoi la logique de privatisation appliquée aux relations internationales dicte « une dévalorisation générale des règles internationales, traités et partenariats en matière de sécurité ». L'unilatéralisme est en réalité la privatisation appliquée aux affaires de la planète. Ceux qui privatisent préfèrent le bilatéralisme au multilatéralisme – les tractations les plus juteuses n'impliquent que deux intervenants. Mais ils goûtent encore plus l'unilatéralisme, où il n'existe au bout du compte qu'une seule partie contractante pour chaque contrat, celle du pouvoir. Comme l'écrivait Joseph E. Stiglitz à propos des pratiques bilatérales du Fonds monétaire international (FMI) : « En théorie, le FMI soutient les institutions démocratiques dans les nations qu'il aide. En pratique, il compromet le processus démocratique en imposant des lignes d'action. Bien entendu, officiellement, le FMI n'"impose" rien. Il "négocie" les conditions d'octroi de l'aide. Mais tout le pouvoir de négociation est dans un seul camp[2]. »

1. G. John Ikenberry, « America's imperial ambition », *Foreign Affairs*, vol. 81, n° 5, septembre-octobre 2002.

2. Joseph E. Stiglitz, « The insider : What I learned at the world economic crisis », *New Republic*, 17 avril 2000. Stiglitz poursuivait ainsi son raisonnement : « L'Amérique et le FMI appuyaient-ils des orientations parce que nous croyions qu'elles aideraient l'Asie de l'Est ou parce que nous croyions qu'elles favoriseraient les intérêts financiers des États-Unis et du monde industrialisé ? [...] En ma qualité de participant à ces débats, je dus me rendre à l'évidence. Il n'y en avait pas. »

Qu'il soit vrai ou non que « la puissance américaine exempte de tout contrôle, dépouillée de toute légitimité et dégagée des normes et institutions de l'ordre international de l'après-guerre inaugure une réorganisation du monde plus hostile, compliquant considérablement la satisfaction des intérêts de l'Amérique », comme s'en inquiète Ikenberry, la puissance brute ne favorisera vraisemblablement pas la démocratie. Affirmer contre vents et marées que la liberté se caractérise non par la présence d'un gouvernement démocratique responsable et transparent, mais par l'absence de tout gouvernement – de toute restriction sur les marchés –, place sur le même pied la liberté et l'anarchie. Étant donné que l'anarchie est aussi le contexte prisé par les criminels et les terroristes, les néolibéraux deviennent en définitive les complices de leurs adversaires les plus insidieux. La privatisation met le secteur public sur la défensive, à la fois au sein des États et dans l'éthique qui gouverne leurs relations mutuelles.

La privatisation s'acquitte du travail idéologique de l'économie de marché mondiale à l'intérieur des États-nations, privilégiant les intérêts privés des sociétés et des banques et privant de leur légitimité les biens collectifs de la communauté. Le gouvernement national devient une entité aux ordres du secteur privé, et non une assemblée participative du secteur public. Ainsi travesti, l'État se transforme en instrument qui servira les entreprises, banques et marchés mondiaux dans des institutions internationales comme l'Organisation mondiale du commerce et le Fonds monétaire international – des institutions politiques en théorie démocratiques constituées d'États souverains, mais en réalité au service d'intérêts économiques mondiaux qui sapent la souveraineté nationale tout autant que la démocratie. La privatisation ne décentralise pas le pouvoir ; elle n'est pas une délégation de pouvoir. Elle déplace au contraire le pouvoir, qui s'exerce de haut en bas et qui est public, responsable et transparent, vers le secteur privé où il conserve sa hiérarchie directive, mais en étant désormais mystérieux et opaque. La privatisation fait litière du pouvoir public, le cédant à des élites privées qui échappent à tout examen et à toute surveillance. Au nom de la liberté, elle détruit la démocratie en supprimant le bien collectif (la *res publica*), au nom duquel les républiques démocratiques voient le jour.

Sous le signe de la privatisation, les citoyens ne se rapprochent pas du pouvoir, mais s'en trouvent encore plus éloignés. C'est ce qui s'est plus ou moins passé en Russie après 1989, quand le pouvoir fut arraché aux autorités publiques corrompues et à la légitimité (au mieux) contestable pour passer aux mains de propriétaires privés encore plus corrompus et entièrement illégitimes. Donner des moyens d'action à des bureaucraties hiérarchiques privées et non plus à des administrations publiques inefficaces ou incompétentes représente peut-être une victoire pour la productivité, mais certainement pas pour la démocratie. Lorsqu'il annonça en 1996 que l'Amérique avait atteint « la fin de l'ère de l'intervention excessive de l'État » *(big government)*, le président Clinton libéra moins les Américains de la bureaucratie publique et de la corruption politique qu'il ne les fit entrer dans l'âge Enron de la bureaucratie privée et de la corruption des sociétés. Ce faisant, il contribua involontairement à transformer la guerre que le fondamentalisme des marchés menait ouvertement contre l'inefficacité publique en une guerre secrète contre la démocratie elle-même.

La thèse consumériste tient que la politique de marchandisation augmente en réalité le choix, permettant aux individus de participer en votant, non pour leur conscience ou leurs valeurs publiques, mais pour leurs dollars, euros et yen. L'économie de marché est censée représenter une démocratie d'individus qui font part de leurs préférences et expriment leurs choix par leur façon de dépenser leur argent. Si le choix définit l'essence de la démocratie, des consommateurs qui courent les magasins sont à l'évidence des citoyens modèles. En mondialisant les achats et la consommation, les marchés mondiaux créent en effet des citoyens mondiaux là où il n'y en avait pas auparavant.

L'interprétation consumériste de la démocratie pâtit de deux erreurs fatales : elle se méprend sur ce qu'est un choix volontaire, et elle se méprend sur la différence déterminante qui existe entre choix publics et choix privés. Pour être libres, les choix volontaires ne doivent subir aucune contrainte. Sans tomber dans les fausses allégations de « fausse conscience » (à savoir que l'homme de la rue ne sait pas ce qu'il fait quand il opère un choix en tant que consommateur), force est de reconnaître que la façon dont les gens dépensent leurs dollars ou leurs euros n'est pas toujours aussi libre qu'ils le croient. « Protégez-nous de nos envies ! » implore la célèbre invocation laïque des temps modernes. La psychologie des envies et des besoins à l'ère de la consommation envahissante oblige à reconsidérer ce qu'on entend par « volontaire ». Les choix librement faits sont soumis aux influences de la commercialisation, de la marchandisation, de la publicité et du conditionnement, tous (comme l'indiquent les millions dépensés à ces postes) visant à façonner, modifier, détourner, voire forcer les préférences vers ce que les producteurs ont besoin de vendre et non vers ce que les consommateurs ont besoin d'acheter. Dans la période qui a précédé la guerre d'Irak, les consommateurs américains ont dépensé des sommes considérables en ruban adhésif, feuilles de protection en plastique, bouteilles d'eau, torches électriques et même masques à gaz sur le conseil du département de la Protection du territoire national. Leurs dépenses représentaient-elles une consommation « volontaire » ou bien autre chose ?

Le capitalisme traditionnel manufacturait jadis des biens pour répondre aux besoins des gens ordinaires ; le capitalisme postmoderne paraît plus souvent manufacturer des besoins pour assurer la vente d'un excès de biens dont les gens ordinaires n'auront peut-être aucun besoin. Le « besoin » de ruban adhésif reposait entièrement sur l'allégation (non garantie) du gouvernement selon laquelle les Américains pouvaient se protéger de la guerre chimique et biologique en calfeutrant hermétiquement leurs fenêtres (position que la Protection du territoire national abandonna rapidement). Le besoin de plaques chauffantes à programmation digitale, de 4 × 4, d'eaux minérales millésimées ou de Hula Hoop est beaucoup plus problématique. Une grande partie des produits en vente dans l'économie de consommation répond surtout à des besoins créés par les producteurs. Même les chantres les plus inconditionnels du capitalisme de consommation admettront que les milliards dépensés en produits dérivés s'adressant aux enfants de un à six ans renvoient à autre chose qu'à la pure liberté des marchés et au choix virginal du consommateur.

Quand bien même on démontrerait que les décisions du consommateur ont toujours été authentiquement libres et ont reflété exclusivement les « véritables » envies et besoins des gens, le choix du consommateur reste nécessairement un choix privé. Ces décisions privées, autonomes ou non, ne peuvent pas affecter des résultats publics et ne représentent pas des substituts appropriés aux choix publics. La gouvernance démocratique n'est pas une simple affaire de choix privé ; elle traite de décisions publiques, de la réponse à apporter aux conséquences publiques et sociales de choix et de comportements privés.

C'est en qualité de citoyens que les consommateurs et les décideurs privés répondent aux conséquences publiques de leurs décisions privées. Même des philosophes classiques de l'économie de marché comme Milton Friedman attirent l'attention sur les « effets de voisinage » d'actions privées que l'action privée elle-même ne sera pas en mesure de régler – la pollution de l'environnement, par exemple[1]. La distinction entre les décisions privées et leurs répercussions sociales forme l'essence même de la citoyenneté, et les citoyens la perçoivent intuitivement. De nombreux Américains ont réellement envie de véhicules de sport, et plusieurs ne doutent sûrement pas une seconde qu'ils en ont besoin pour des raisons (même fallacieuses) de sécurité, pour leur utilisation tout-terrain, pour leur capacité de charge, etc. Or il est entièrement rationnel pour un mordu de 4 × 4 d'avoir envie d'un Humvee en

1. Milton Friedman, *Capitalism and Freedom*, Chicago, University of Chicago Press, 1962, p. 30. Friedman banalise la notion de biens collectifs ou de conséquences sociales en invoquant le « voisinage » et continue depuis à écarter le débat en y voyant une justification du gouvernement démocratique. Dans sa phraséologie trop habile, « lorsqu'il s'engagera dans des activités destinées à surmonter les effets de voisinage, l'État introduira en partie une série supplémentaire d'effets de voisinage », qui se traduiront par un empiétement sur les libertés personnelles (p. 32). La boucle est bouclée.

tant que consommateur, mais d'en faire, en tant que citoyen, un véhicule hors de prix et/ou difficile à acheter et à utiliser pour le commun des mortels (lui compris). En tant que citoyen, un individu doit prendre en compte les implications sociales et publiques de ses décisions de consommateur. « Je me sens plus en sécurité dans un 4 × 4 », dit le consommateur. « Peut-être, mais les statistiques de sécurité montrent que c'est faux, donc que tu mets forcément en danger les conducteurs de véhicules plus petits. Aussi allons-nous réglementer les 4 × 4, conformer leurs pare-chocs à des normes uniformes », rétorque le citoyen. « J'adore les reprises du V-8 ! » s'enflamme le consommateur. Et le citoyen : « D'accord, mais nous avons besoin de réduire notre dépendance vis-à-vis du pétrole de l'étranger, de pays comme l'Irak et l'Arabie Saoudite, et d'en faire plus pour arrêter les émissions responsables du réchauffement du climat mondial. Aussi allons-nous réduire la consommation d'essence, considérer ces véhicules gloutons comme des voitures de tourisme et non comme des minicamions, exiger qu'ils se conforment à des normes d'émission plus sévères. »

Peut-être y verra-t-on de la schizophrénie, mais il s'agit simplement de la différence entre le consommateur et le citoyen – le consommateur chez un individu, le citoyen au cœur de cette personne ; de la différence entre le raisonnement à la première personne du singulier et celui à la première personne du pluriel, entre « moi » et « nous », et donc entre le raisonnement privé et le raisonnement public, entre la logique consumériste et la logique citoyenne. La démocratie a pour vertu de donner la priorité au nous sur le moi, à la logique citoyenne sur la logique consumériste. Il incombe à la politique démocratique elle-même d'instaurer l'équilibre, mais aucun équilibre ne se mettra en place si l'on ne comprend pas la différence entre les deux.

Du fait de la mondialisation des marchés et de la mentalité du consommateur, le raisonnement mondial se voit aujourd'hui dominé par la logique consumériste privée et non par la logique citoyenne publique. En matière de capitaux financiers mobiles, par exemple, la question pertinente selon la logique du consommateur devient de savoir comment protéger l'investisseur, et non comment protéger des biens collectifs que son investissement prétend améliorer mais qu'en pratique il endommage souvent. Un système favorisant le marché du genre de celui qui définit la mondialisation aujourd'hui sacrifiera les besoins communs de bien-être de tout un peuple en prétendant forcer les gouvernements à encourager une « discipline » budgétaire afin de mettre à l'abri les capitaux spéculatifs. Au lieu de compter sur des retours élevés pour rembourser ceux qui engagent des investissements à haut risque, les investisseurs exigent des retours élevés mais des risques minimes qui sont en effet garantis lorsqu'on oblige les gouvernements à prendre les risques réels. Le capitalisme mondial moderne réussit ainsi à privatiser le profit tout en socialisant le risque.

L'idéologie néolibérale fait valoir que les réglementations qui protègent les besoins communs empiètent inéquitablement sur la liberté nécessaire au libre flux des capitaux, de la main-d'œuvre et des biens. On opposa à peu de chose près le même argument à l'introduction des syndicats à la fin du XIXe siècle, lorsque l'organisation de la main-d'œuvre autour de ses intérêts communs apparut comme un empiétement sur la liberté des producteurs d'engager des ouvriers moyennant des salaires définis par l'économie de marché, mais aussi sur le « droit au travail » de travailleurs libres d'accepter un salaire donné ou de refuser l'emploi.

La place du marché, local et mondial, offre un terrain idéal à l'expression des préférences économiques et à l'arbitrage des relations entre producteurs et consommateurs. Mais même quand ses mécanismes ne se voient pas faussés par un pouvoir inégalement réparti et par les pressions du monopole, même quand la marchandisation et la commercialisation ne dénaturent pas le sens des besoins et des envies, le marché ne peut pas garantir des biens collectifs ou des résultats contribuant au bien-être général. Les fondamentalistes de l'économie de marché affirmaient que l'intérêt public naîtrait de la rencontre magique de volontés privées – manipulées par ce qu'Adam Smith appelait la « main invisible » –, mais ce ne fut jamais plus qu'un rêve, une rationalisation peu convaincante permettant de privilégier ceux qui tiraient réellement des bénéfices de transactions privées.

La démocratie est le mécanisme qui adapte le pouvoir privé et les désirs personnels aux biens collectifs et au bien public. L'union des intérêts privés ne remplira pas cet objectif, car le pouvoir lui aussi forme un tout accompagné d'intérêts et aboutissant à des résultats biaisés et inéquitables. Mais la théorie du marché ne s'inquiète guère du pouvoir. Elle présuppose l'égalité et une concurrence relativement parfaite. Or le pouvoir constitue l'essence des relations humaines et traque tous les choix « volontaires » et tous les contrats « librement conclus ». Le bien public ne se résume pas à la somme des biens collectifs : il est aussi l'équilibre du pouvoir garanti par les lois de l'honnêteté et de la justice, ce que les marchés ne peuvent tout simplement pas mettre en place.

Les formes de tyrannie les plus dangereuses sont celles qui brandissent l'étendard de la liberté. D'où le rappel à l'ordre cinglant du pape Jean-Paul II, soulignant que « le genre humain se trouve face à des formes d'esclavage nouvelles et plus subtiles que celles qu'il a connues dans le passé ; la liberté continue à être pour trop de personnes un mot privé de contenu[1] ». Pour ne prendre qu'un exemple, mais fameux, lorsque la liberté est associée à la privatisation de biens aussi publics que le génome humain, les craintes du pape se révèlent justifiées. La liberté doit signifier plus que le profit des sociétés et le choix du consommateur.

Comme James Madison l'écrivait avec clairvoyance dans le numéro 63 du *Fédéraliste*, « la liberté peut être mise en péril par les abus de la liberté aussi bien que par les abus du pouvoir [...] et les États-Unis auront plus à redouter des premiers que des seconds* ». Nulle part aujourd'hui les abus de la liberté ne sont plus flagrants que dans le secteur du marché mondial *made in America* où, au nom de la liberté, on a lâché la bride au monopole, à la cupidité, au narcissisme et à l'anarchie ; et où le capital privé mondial, le narcissisme du consommateur et le commercialisme exubérant passent pour les signes avant-coureurs de la démocratie mondiale.

Les chouettes espèrent que les suites des guerres de « libération » sont aussi importantes que ce qui survient pendant leur déroulement. L'administration Bush s'est engagée publiquement à œuvrer pour la démocratisation. Mais croire qu'en exportant McWorld et en mondialisant les marchés on forme des sociétés libres et un monde

1. Jean-Paul II, « Incarnationis Mysterium », bulle d'indiction du Grand Jubilé de l'an 2000, Rome, 29 novembre 1998.

* *Le Fédéraliste*, *op. cit.* (*NdT*)

démocratique est une erreur redoutable, propre à compromettre les stratégies qui viseront à construire une nation. Démocratiser des nations sortant du despotisme et doter un désordre mondial anarchique d'une infrastructure de droit public et de coopération civique ne saurait se réduire à simplement exporter le capitalisme. Il ne faut pas confondre *luxus americanus* et *lex humana*. La démocratie préventive doit chercher ailleurs les recettes qui mettront fin au terrorisme et feront prévaloir la sécurité et la liberté.

8

On ne peut pas exporter l'Amérique et l'appeler liberté

En définitive, la meilleure stratégie
pour garantir notre sécurité et construire une paix durable
consiste à soutenir ailleurs les progrès de la démocratie.
Bill CLINTON, 1994[1].

Laissez-les le faire imparfaitement plutôt que de le faire
vous-même parfaitement, car c'est leur pays, leur façon d'être,
et que votre temps est compté.
T.E. LAWRENCE[2].

Exporter les marchés ou l'idéologie néolibérale mondialisante ne démocratisera pas, à l'évidence, les autres nations et ne créera pas un secteur mondial démocratique. Mais la démocratie elle-même ne peut pas davantage être traitée comme un produit d'exportation viable. La démocratie préventive veut mettre en place un monde démocratisé, mais cette ambition ne signifie pas qu'on exporte la démocratie américaine. Il est réconfortant de constater que,

1. Message sur l'état de l'Union, 25 janvier 1994.
2. Cité par George Packer, « Dreaming of democracy », *New York Times Magazine*, 2 mars 2003.

malgré son penchant pour la guerre et ses préjugés à l'encontre de la construction de la nation « à la Clinton », l'administration Bush a fini par comprendre que des États déstabilisés et vaincus, même nettoyés de terroristes et d'armes de destruction massive, offrent peu de sécurité à long terme aux États-Unis et à leurs alliés. Or elle n'a pas encore saisi que vouloir construire une nation par la force, essayer d'instituer des nations libres en exportant la démocratie américaine jusqu'à leurs rivages, a peu de chances de réussir.

Au nom de la stabilité et de la démocratie, l'administration a promis de faire en Irak ce qu'elle avait promis d'accomplir en Afghanistan, tout comme les administrations antérieures s'y étaient engagées au Koweït encore que la suite des événements dans ces pays ne laisse guère augurer de succès. « Les Koweïtiens ont attendu douze ans les réformes promises, qui ne sont jamais venues », et d'après le *Washington Post*, malgré l'organisation d'élections parlementaires en 1992, 1996 et 1999 pour les 14 % des 860 000 citoyens admis à voter (les autres sont les femmes, les résidents étrangers et les travailleurs immigrés), « le scrutin a donné naissance à un parlement dans lequel les forces politiques les plus puissantes sont les chefs de tribu alliés aux fondamentalistes islamiques, dont certains proclament leur sympathie pour les auteurs d'attentats suicides et pour Oussama ben Laden[1] ». Il est trop tôt pour juger des résultats en Afghanistan, mais, bien que les États-Unis aient

1. Susan B. Glasser, « A model for democracy ? », *Washington Post National Weekly Edition*, 3-9 mars 2003. Le Koweït met actuellement en place sa société civile, mais « c'est un pays qui ne compte pas une seule organisation des droits de l'homme légalement reconnue ».

débloqué en faveur de ce pays une nouvelle enveloppe de 3,3 milliards de dollars d'aide sur quatre ans (environ 850 millions par an), la législation votée par le Congrès en 2002 n'a prévu que de 157 à 295 millions de dollars pour cette année (un article d'abord complètement omis du budget). Les États-Unis n'ont pas souhaité non plus recourir aux Nations unies pour légitimer leur action, ni faire appel aux organisations non gouvernementales internationales ou aux gouvernements alliés comme partenaires dans la « construction de la nation » en Irak, choisissant de s'en remettre à des sociétés américaines privées et à des organisations caritatives de même sensibilité idéologique, comme la Christian Charity de Frank Graham. En Afghanistan, des groupes tels que Children of War, Islamic Relief Fund, CARE, Save the Children et Terre des hommes, ainsi que des organisations onusiennes comme le Centre pour les établissements humains des Nations unies et l'UNESCO, ont finalement tous joué un rôle dans la reconstruction. Le frère aîné du président Karzaï a fondé Afghans for Civil Society, hybride de centre d'orientations politiques et d'organisation humanitaire qui s'est efforcé de donner une assise civile aux premiers pas encore hésitants du pays en matière de démocratisation. Mais, en Irak, le « On y va seuls » de l'Amérique l'a emporté dans les premiers efforts de reconstruction après la guerre. Son idée fixe très peu politique de punir à la fois les Nations unies et des alliés comme la France, l'Allemagne et la Turquie pour leur refus de soutenir l'effort de guerre a rendu presque impossible leur participation ou celle des ONG qui leur sont liées à la tâche de démocratisation.

Le contexte ayant conduit à la prétendue libération peut créer d'autres obstacles à la démocratisation. Il suffit de lire l'histoire pour constater qu'on n'impose pas la démocratie à un pays à la pointe du fusil ou dans les lendemains confus d'une guerre d'agression, même « préventive » et déclenchée avec les meilleures intentions du monde au nom d'un changement de régime et de la liberté. George Packer note que sur dix-huit changements de régime « forcés » dans lesquels les États-Unis ont joué un rôle au cours du siècle dernier, seulement cinq ont abouti à la démocratie – un seul (le Panama) lorsque l'Amérique est intervenue unilatéralement[1]. La nation victorieuse qui vient d'abattre un tyran ne représente pas nécessairement non plus le contremaître idéal pour surveiller un processus de démocratisation autochtone, ce qui explique probablement pourquoi T.E. Lawrence préfère les déficiences autonomes à la perfection imposée. La *lex humana*, au nom de laquelle il convient de rechercher l'internationalisme et la démocratie mondiale, ne sera pas garantie parce qu'on tentera d'exporter la *lex americana* – l'expérience personnelle et spécifique de l'Amérique en matière de droit et de démocratie[2].

On ne peut pas exporter la démocratie parce qu'on ne peut pas importer des droits. Dyab Abou Jahjah, militant belge des droits civiques, fait peut-être trembler les Européens par sa rhétorique fulminante, mais le manifeste de sa Ligue arabe européenne l'a bien compris : « On ne reçoit pas des droits égaux, proclame-t-elle, on

1. Packer, « Dreaming of democracy », art. cité.

2. Comme le fait valoir Howard J. Wirda, les idées américaines en matière de société civile sont difficiles aussi à exporter, et souvent accueillies avec méfiance par des gouvernements qui craignent une atténuation de leur pouvoir. Voir « Is civil society exportable ? The American model and third world development », document de travail, Nonprofit Sector Research Fund, Aspen Institute, 2003.

les prend[1]. » C'était aussi le cri de ralliement des Américains en 1776, lorsqu'ils déclarèrent solennellement leur intention de protéger leurs droits et leur démocratie dans une lutte armée contre l'Angleterre. La France commença sa marche heurtée vers la démocratie par une révolution violente et sans merci contre une monarchie absolue. La constitution des nations après l'époque coloniale en Afrique et en Asie, au lendemain de la Seconde Guerre mondiale, naquit de la lutte armée et ne fut pas accordée par les puissances impériales remises en cause, même lorsqu'elles étaient des démocraties. On ne peut pas faire cadeau de la démocratie à un peuple qui n'en veut pas, on ne peut pas l'importer dans une culture qui n'est pas prête à la recevoir. Elle dépend de la ferveur de populations qui luttent pour leur liberté, et non de la bienveillance de maîtres pleins de mansuétude disposés à la leur octroyer. Faisant écho à l'administration Bush, le Premier Ministre Tony Blair parla de l'Irak comme il l'aurait fait de l'Allemagne nazie, et de l'Amérique et de la Grande-Bretagne comme des Alliés pendant la Seconde Guerre mondiale, les mettant en garde contre un régime voyou capable d'infliger des dommages atroces à la planète. Mais quelques Irakiens au moins, ainsi que nombre de leurs voisins au Proche-Orient – qui par ailleurs ne prenaient pas la défense de Saddam Hussein –, semblaient croire que l'Irak ressemblait davantage à la Pologne face à un ennemi puissant qui envahissait son territoire souverain sous prétexte d'autodéfense : pas franchement l'idéal pour entamer le processus de démocratisation.

---

1. Marlise Simons, « An outspoken Arab in Europe : Demon or hero ? », *New York Times*, 1er mars 2003, p. A4.

La vertu majeure de la démocratie est en réalité la patience. Elle est même la condition nécessaire à son épanouissement. En France, par exemple, Tocqueville voyait la révolution de 1789 comme non pas le départ, mais le point d'aboutissement du processus de centralisation et de bureaucratisation rationnelle qui devait préluder à la vraie démocratisation. Le lent mouvement vers la modernité avait commencé beaucoup plus tôt avec l'abolition des parlements provinciaux de la féodalité et l'affirmation des droits modernes du roi sur ceux de l'aristocratie féodale[1]. Aux États-Unis, cent cinquante ans d'un lent perfectionnement des institutions démocratiques locales dans les treize colonies précédèrent la rédaction de ce qui n'était au demeurant qu'une constitution quasi démocratique[2]. Un siècle et quart encore s'écoula avant que quelque chose qui ressemble à la démocratie pleine et entière se mette définitivement en place, et pendant cette longue période seule une minorité put jouir d'une démocratie vigoureuse : les Blancs de sexe masculin qui avaient qualité de citoyens. À part cela, l'histoire de l'Amérique refléta l'exclusion persistante de la majorité de la population citoyenne. Un système d'esclavage coexista avec le bourgeonnement

1. Voir Alexis de Tocqueville, *L'Ancien Régime et la Révolution française* (1856). Tocqueville assimilait lui-même le parlement à la liberté antique et sa destruction à une perte de liberté, mais il critiquait l'égalitarisme centralisé moderne. Simon Schama reprend ce thème dans son portrait conservateur de la Révolution, in *Citizens : A Chronicle of the French Revolution*, New York, Alfred A. Knopf, 1989.

2. L'ouvrage d'Oscar et Lilian Handlin, *Liberty and Power : 1600-1760*, New York, Harper & Row, 1986, présente un tableau vivant et coloré du développement lent et réfléchi des institutions démocratiques dans l'Amérique coloniale prérévolutionnaire.

de la démocratie locale célébré par Tocqueville, et seule une guerre dévastatrice y mit fin.

Or, aujourd'hui, les Américains semblent parfois penser que des peuples de cultures venues depuis peu à la démocratie doivent réussir en quelques mois ce qui prit des siècles aux Américains et aux autres démocraties. Pas de temps pour les erreurs, pas de temps pour bâtir le socle civique sur lequel édifier une superstructure démocratique, pas de temps pour éduquer les hommes et les femmes à la citoyenneté, pas de temps pour cultiver les habitudes du cœur exigeantes indissociables des comportements démocratiques. Dans les échéanciers en forme de présentation trimestrielle des bénéfices à l'usage des médias, où elle définit aujourd'hui le rythme auquel les autres doivent bâtir leur nation, l'Amérique ne laisse pas de temps au temps. Comment les décideurs de la Maison-Blanche ont-ils pu croire un instant que la société violente, instable, multiculturelle de l'Irak agrégée vaille que vaille par trente années de tyrannie brutale pouvait être à la fois libérée et libéralisée du jour au lendemain ? L'Irak est dominé démographiquement par des chiites privés des moyens de prendre en main leur destin et qui surpassent en nombre les sunnites de Saddam Hussein au pouvoir ; c'est un pays tribal, voire clanique dans ses loyautés sectaires ; il doit compter avec, au nord et au sud, une population kurde et d'autres minorités qui n'aspirent, en guise de « construction d'une nation », qu'à la partition et à l'autonomie ; il est menacé par les Turcs au nord et les chiites iraniens à l'est, qui ont leurs ordres du jour personnels en matière d'expansion. Et c'est cette nation qu'on veut bousculer pour en faire une démocratie modèle au Proche-Orient en quelques mois ? Ou quelques années ? Ou quelques dizaines d'années ? L'instabilité ambiante, les pillages et la criminalité (on a vidé les asiles et les prisons), les luttes intestines entre tribus et une guerre civile de la même nature que celle qui a sévi en Yougoslavie après la défaite du communisme sont plus susceptibles d'être le lot de l'Irak que la démocratie instantanée. Un effondrement national de cette ampleur a déjà amené à différer la mise en place d'un gouvernement intérimaire et obligera peut-être à reconduire l'administration militaire américaine – peu faite pour instaurer l'autonomie[1].

Non pas qu'il existe, comme certains analystes le laissent entendre (Samuel Huntington et Bernard Lewis, par exemple), une hostilité si radicale entre la démocratie et l'islam, ou entre la démocratie et la culture non occidentale, que la démocratisation est des plus improbables, sinon carrément impossible (voir ci-dessous). Contestant l'idée selon laquelle l'Asie est bridée par ses valeurs autoritaires contraignantes, l'économiste Amartya Sen a proposé une analyse judicieuse de la diversité présente dans toutes les cultures, montrant que des notions censément occidentales comme la tolérance et la liberté avaient aussi leur place dans la tradition bouddhique ou confucéenne. Comme il l'écrit, « la vérité est que dans n'importe quelle culture les individus semblent aimer se chamailler et ne se privent pas de le faire – s'ils en ont la possibilité. La présence de dissidents fait qu'il est difficile de discerner clairement la "vraie nature" des

---

1. Au moment où la guerre fut déclenchée, on relevait des divergences sensibles au sein de l'administration Bush sur le rôle de l'armée dans l'Irak de l'après-guerre, le Pentagone se montrant beaucoup moins réceptif que le département d'État à l'idée d'une administration militaire prolongée. Voir, par exemple, Lawrence F. Kaplan, « Federal reserve : The State Departement's anti-democracy plan for Iraq », *New Republic*, 17 mars 2003.

valeurs locales. En réalité, toutes les sociétés semblent avoir leurs dissidents[1] ». Les sociétés musulmanes laissées à la traîne par des modes de gouvernement despotiques persistants et ne disposant pas encore tout à fait des outils culturels propres à étayer des institutions politiques modernes peuvent probablement mettre en place des sociétés pleinement démocratiques en une génération ou deux, beaucoup moins qu'il n'a fallu à l'Angleterre, à la France et à l'Amérique pour démocratiser et civiliser leurs propres monocultures chrétiennes intolérantes ; et elles le feront. Mais sans se plier à l'échéancier de l'Amérique. Pas demain ni l'été prochain.

Oubliant que leur propre histoire démocratique fut graduelle, les Américains, trop souvent, ne se contentent pas de presser les autres d'écrire la leur, vite et sans compliquer. Ils leur enjoignent aussi de le faire *à l'américaine**, comme si américanisation et démocratisation étaient une seule et même chose, comme si les États-Unis détenaient les droits de propriété et un brevet politique sur la quintessence du processus démocratique. Il existe, certes, des idéaux universels qui partout étaient les fondements du combat humain pour la liberté, mais les formes de la démocratie affichent la même diversité et la même variété que les luttes qui permettent de l'acquérir. Elles se révèlent aussi difficiles à protéger que toutes les hautes ambitions humaines. Dans les années qui précédèrent la révolution américaine, et entre la Déclaration d'indépendance et la Constitution, le Massachusetts puritain eut une constitution, la Pennsylvanie progressiste une différente, le Rhode Island qui

1. Amartya Sen, *Development as Freedom*, New York, Alfred A. Knopf, 1999, p. 247.

* En français dans le texte. (*NdT*)

faisait cavalier seul* une autre encore, et les colonies des plantations du Sud conservant l'esclavage et la charte royale des constitutions distinctes. Certaines colonies furent beaucoup moins libres que leurs consœurs, et quelques-unes à peine moins autocrates que le gouvernement colonial de la Grande-Bretagne qui les avait formées et sous lequel elles avaient toutes besogné. Même aujourd'hui, les institutions régionales et locales de l'Amérique présentent des différences dont on retrouve l'origine dans ces variantes.

La démocratie préventive pose que la guerre contre le terrorisme ne se gagnera que dans un monde de démocraties en paix, que la guerre et la destruction de la souveraineté ne sont pas l'instrument rêvé pour transformer des régimes tyranniques en gouvernements démocratiques, ni les soldats les meilleurs guides pour cartographier la démocratisation lorsque des guerres précèdent le processus démocratique. Les représentants des conquérants ne seront pas les conseillers qu'écouteront les pays conquis pour régler les problèmes épineux du rétablissement de l'autonomie, du retour de la crédibilité intérieure et des voies par lesquelles ils acquerront leur légitimité sur la scène mondiale – en particulier là où la société subit en même temps une transformation radicale sur d'autres plans aussi. Richard Cheney faisait preuve de sagesse lorsqu'il demandait comment un régime soutenu par les Américains dans l'Irak d'après la guerre de 1991 parviendrait un jour à voir sa légitimité reconnue. La même sagesse préconise aujourd'hui que les Nations unies soutiennent des guerres préventives

* « Refuge traditionnel de ceux qui ne pensent pas comme les autres », le Rhode Island ne ratifia le projet de constitution qu'en 1790. (*NdT*)

afin que leur appui et leur participation au processus de paix soient ensuite garantis. Débarrasser un État de la présence de terroristes, même un État qui rechigne à être « nettoyé », peut écarter au moins un obstacle au processus de construction de la démocratie et justifie des frappes préventives contre les terroristes. Mais dépouiller un État de son régime souverain, si révoltant et brutal soit-il, a toutes les chances non pas d'aider à construire ensuite la démocratie, mais de multiplier les obstacles – leçon que les États-Unis ont apprise à la dure au cours des semaines de plus en plus chaotiques qui ont suivi leur victoire militaire facile en Irak.

Les démocraties se développent de l'intérieur vers l'extérieur et du bas vers le haut, et non l'inverse. D'où, entre autres, la lenteur de la démocratisation. Cette réalité montre aussi que l'objectif de ceux qui cherchent à instaurer un monde démocratique ne devrait pas être la « démocratie » au singulier, sur le modèle américain ou sur un autre, mais des « démocraties » au pluriel. Après tout, même dans les canons démocratiques des paroisses occidentales, les pratiques démocratiques se sont révélées aussi diverses que les cultures européennes et nord-américaines spécifiques dont elles émanaient. La Suisse, par exemple, a cultivé une notion communautaire et collectiviste de la liberté et des droits publics totalement différente de l'accent mis par les Anglo-Américains sur les individus et les droits privés. Dans ce pays, la liberté de la commune a toujours pris le pas sur les droits de propriété privés. Les effets d'une économie laitière, où les droits communs de pâture priment sur les droits de propriété propres aux économies agricoles, et l'importance accordée à la liberté communale ont imprimé aux institutions politiques helvétiques un caractère communautaire qui se démarque radicalement des institutions américaines tout aussi radicalement individualistes[1]. Les Suisses préfèrent une direction collective au leadership individuel (les sept membres du Conseil fédéral assument une présidence tournante) et font de la citoyenneté la première instance législative (les citoyens votent par référendum à l'échelon national et local plusieurs dizaines de fois dans l'année). Le système représentatif qui fonde si solidement la politique américaine trouve un écho beaucoup plus atténué dans la démocratie directe de la Suisse.

On peut aussi comparer le système judiciaire français, ancré dans une vision cartésienne de la Vérité – une vérité qui doit être mise au jour par un groupe de magistrats et de juges d'instruction objectifs, et établie dans le cadre d'un droit écrit (romain) –, et la tradition de la *common law* anglo-américaine, où la vérité judiciaire est subjective et débattue, établie par des procureurs et des avocats au moyen d'une argumentation contradictoire faisant valoir les pour et les contre. Dans cette tradition, c'est le peuple (par le biais du système de jury) qui a le dernier mot, et non les juges compétents. Ni le système judiciaire français, ni le système de démocratie communale et participative suisse ne sont plus ou moins démocratiques que leur homologue américain. Tous deux reconnaissent la liberté, quitte à en donner une interprétation différente. La souveraineté du peuple définit le point de départ de la légitimité dans les trois systèmes, mais savoir si cette souveraineté est directement exprimée ou si elle est représentée par des responsables élus ou par des juges motivant leur opinion

1. Dans un ouvrage précédent, j'ai essayé de mesurer ces différences surprenantes : voir *The Death of Communal Liberty : The History of Freedom in a Swiss Mountain Canton*, Princeton, Princeton University Press, 1974.

est compris différemment. La justice est l'objet du droit dans n'importe quelle démocratie, mais les opinions peuvent diverger sur la manière dont les différentes jurisprudences la garantissent. En bref, il n'existe pas de démocratie occidentale, mais seulement des démocraties occidentales.

La pluralité de la démocratie occidentale plaide à l'évidence en faveur d'une prise en compte de la diversité lorsqu'on envisage la démocratisation dans des sociétés en période de transition ailleurs qu'en Europe et en Amérique. Comme Amartya Sen l'a souligné, il est crucial de « reconnaître la diversité au sein des différentes cultures[1] » tout autant que la diversité entre les cultures. Dans les nations et les cultures surgies de régimes non démocratiques, la mise en place de la liberté aura peut-être tout intérêt à s'inspirer des traditions et institutions autochtones au lieu d'imiter des constitutions exogènes et des mécanismes politiques importés de l'étranger.

Les fondateurs de l'Amérique soulignèrent d'entrée de jeu que la république américaine devait être une « expérimentation », comme l'est en réalité tout acte fondateur. Les *Federalist Papers* s'employèrent à démontrer que la théorie politique traditionnelle de l'Europe et sa longue expérience des constitutions n'étaient pas applicables dans le Nouveau Monde. À en croire *Le Fédéraliste*, les démocraties européennes avaient « toujours offert le spectacle du trouble et des dissensions ». Madison refusait de voir l'Amérique se subdiviser « en une infinité de petites républiques jalouses,

1. Sen, *Development as Freedom*, *op. cit.*, p. 247. Sen note, par exemple, que « la lecture du confucianisme qui est aujourd'hui la norme chez les défenseurs autoritaires des valeurs asiatiques est loin de rendre justice à la diversité des propres enseignements de Confucius » (p. 234).

batailleuses et turbulentes, indestructibles germes de discorde », comme celles qui avaient marqué l'histoire de l'Europe à ses débuts[1]. Elle examinerait au contraire sa propre expérience coloniale indépendante, ses assemblées municipales, ses milices civiques, ses expérimentations en matière de représentation, de fédéralisme et de séparation des pouvoirs, et elle oserait écrire une constitution nouvelle adaptée à la situation nouvelle de l'Amérique. Ce fut là une des leçons les plus salubres du caractère exceptionnel de l'Amérique, mais que les Américains ont trop souvent oublié d'appliquer aux autres nations. Ayant renié les sources manifestement britanniques de leur constitution fondatrice, les États-Unis ne devraient pas avoir tant de mal à comprendre que d'autres aujourd'hui puissent renier les sources américaines indiscutables de leurs aspirations à l'indépendance et à la démocratie. Même si elles admirent l'Amérique et s'en inspirent, comme devrait le leur dicter et le leur dicte la prudence, les nouvelles démocraties doivent aussi rechercher des pratiques démocratiques novatrices dans des sources locales et des traditions historiques appropriées qui doteront leur liberté d'une raison d'être et d'un sentiment d'appartenance. Envoyer un exemplaire de la Déclaration des droits* par FedEx à Kaboul ou un projet de création de deux chambres législatives par e-mail à Bagdad ne fera probablement pas l'affaire.

Des pratiques historiques conçues en des temps prédémocratiques engendreront peut-être des comportements protodémocratiques susceptibles d'être incorporés

1. Les citations sont tirées respectivement des n°s 10 et 9 du *Fédéraliste*.

* Ce sont les dix premiers amendements de la Constitution américaine qui énoncent et garantissent les droits fondamentaux des individus et des États. (*NdT*)

dans les pratiques démocratiques modernes. Les conseils tribaux en Afrique proposent un modèle de participation et de communauté pouvant servir de base à des institutions de participation plus globales. L'assemblée tribale nationale (la Loya Jirga), à laquelle on a eu recours à l'occasion pour apaiser les tensions entre des rivaux en guerre dans l'Afghanistan tribal, s'est montrée à même d'améliorer les conflits particularistes qui compromettent aujourd'hui l'unité nationale dans ce pays. Certains fiascos de la démocratie en Afrique trouvent leur origine dans la création artificielle de frontières coloniales qui déplacèrent les frontières tribales traditionnelles ; la reconnaissance de ces dernières dans les départements administratifs locaux peut aider les régimes tribaux à s'adapter aux exigences de la démocratie. Le village indien constitue le vecteur naturel de la participation locale, mieux fait pour étayer la démocratie indienne, comme Gandhi le comprit, que les unités administratives artificielles héritées de l'Empire britannique. Les conseils ouvriers russes (les soviets), avant d'être déformés et mis au service d'un régime bolchevique à parti unique, fonctionnèrent comme une institution prédémocratique dans une Russie tsariste chancelante.

Même le renouveau de la monarchie traditionnelle sous une forme fixée par la constitution peut aider parfois une nation à passer d'une tyrannie moderne brutale à la démocratie libérale en lui apportant la solidarité et le patriotisme dont sont dépourvues les institutions juridiques officielles d'une démocratie brute de décoffrage. La royauté, même incluse dans un ordre constitutionnel, paraîtra une curieuse alliée de la démocratie, mais aucune des institutions traditionnelles évoquées ici n'est pleinement démocratique, et le retour d'une monarchie constitutionnelle dans un pays soumis plus récemment à une tyrannie totale peut jouer un rôle utile en restaurant la légitimité civique. Les institutions locales possèdent un potentiel démocratique et, qui plus est, la vertu insigne d'ancrer la nouveauté de la démocratie formelle dans des pratiques traditionnelles informelles déjà légitimées par l'histoire et les mœurs de la nation. Les clubs politiques locaux qui se créèrent dans les villes de l'Amérique du XIXe siècle, ramassis de canailles aux yeux de certains esprits chagrins, permirent aux immigrants et aux étrangers à la ville d'accéder à la participation politique – au prix, certes, de la hiérarchie et de la corruption. De même, les institutions autochtones partout ailleurs sur la planète, y compris là où la pureté de leur esprit démocratique exige un prix, peuvent servir de tremplin pour la longue mise en place de comportements et de procédures réellement démocratiques dans une culture de transition. La voie rapide vers la démocratie envoie souvent sur le bas-côté les nations trop pressées de se libérer. Un rythme plus posé, plus délibéré, permet de négocier les virages de l'histoire et de laisser aux greffes de nouvelles institutions sur d'anciennes pratiques le temps de prendre. La démocratie ne s'enracine pas du jour au lendemain : semez-en les graines sur un sol dur et stérile, et la première bourrasque politique les emportera.

Car la démocratie est un processus plutôt qu'une fin, et qui progresse par paliers. La réussite de ceux qui se sont embarqués aujourd'hui dans ce périple semé d'embûches exige qu'on reconnaisse la patience qu'il requiert. L'impatience que l'on décèle dans certains échéanciers démocratiques de l'agent de surveillance court à la catastrophe, en particulier quand ils empruntent leurs points de référence aux scénarios de démocraties « réussies » entièrement différentes. Surveiller la corruption comme l'a fait Amnesty International est important, mais doit faire la part du minimum de corruption parfois inévitable pour ouvrir une société fermée. Lier l'assistance et les prêts au développement aux progrès de la construction d'une infrastructure juridique et civique, comme le font la Banque mondiale et le département d'État américain, tombe sous le sens si l'on comprend que le financement doit aller réellement aux groupes et aux institutions qui mettent en place cette infrastructure. Le but doit être le mouvement vers la démocratie, des étapes dans le développement de la liberté qui soient progressives et non régressives, mais en aucun cas une précipitation impressionnante mais superficielle et fragile parce que les organes de surveillance et de financement refusent d'octroyer aux autres les délais exigés par leur propre passage à la démocratie en son temps.

La triste et courte histoire des pratiques démocratiques autochtones en Allemagne de l'Est, pratiques qui jouèrent un rôle décisif dans la chute du communisme en 1989 dans ce pays, atteste les coûts de l'impatience – de vouloir produire de la démocratie à toute allure. Les invectives des tribunes locales et des minimédias de voisinage, ainsi que les assemblées publiques placées sous l'égide de *Neues Forum* qui furent à l'origine de l'opposition victorieuse au régime est-allemand dominé par les Soviétiques, se virent rapidement remisées après la chute du Mur par les institutions politiques fédérales, les partis nationaux et les conglomérats de médias ouest-allemands. Presque du jour au lendemain, la démocratisation ambiante magique s'évanouit, remplacée par une impatience et un orgueil démesuré qui brouillèrent les peuples nouvellement unis des deux Allemagnes. L'énergie qui avait présidé au démantèlement du Mur matériel céda beaucoup trop vite à une lassitude incapacitante liée à ce que les Allemands baptisèrent *der Mauer im Kopf*. Ce « mur dans les esprits » des deux nations concurrentes de l'Allemagne sépara psychologiquement l'Est et l'Ouest aussi intimement que le mur de Berlin l'avait naguère fait physiquement. Il transforma aussi les anciens sujets de l'Allemagne de l'Est communiste, les futurs citoyens en attente d'une nouvelle Allemagne unie, en spectateurs désabusés et désespérés d'une « politique démocratique » dont ils ne pouvaient se réclamer. Comment s'étonner de les voir si nombreux, en moins de quelques années, à voter de nouveau pour un quelconque parti d'extrême gauche ayant succédé aux communistes discrédités, ou pour un autre d'extrême droite se montrant prêt à tabler sur l'apathie antidémocratique ?

La même sensibilité à la diversité qu'on observe dans l'incapacité de l'Allemagne de l'Ouest à reconnaître la singularité de l'Est, hormis son passé communiste, transparaît chez les fervents du « choc des civilisations » de Samuel Huntington, pour qui la culture « antimoderne » de la société islamique ne laisse aucune place à la démocratie[1]. Mais les censeurs comme Huntington semblent avancer en réalité que les sociétés islamiques ne laissent aucune place à la démocratie *américaine* : à la séparation de l'Église et de l'État telle qu'elle se conjugue en Amérique, avec son insistance sur la laïcité,

1. Voir Samuel P. Huntington, *The Clash of Civilizations and the Remaking of World Order*, New York, Simon & Schuster, 1996 ; en français : *Le Choc des civilisations*, trad. Jean-Luc Fidel et Geneviève Joublain, Patrice Jorland et Jean-Jacques Pédussaud, Paris, Odile Jacob, 1997. Voir aussi mon « Fantasy of fear : Huntington and the West versus the rest », *Harvard International Review*, vol. 20, n° 1, hiver 1997-1998. On trouvera une thèse semblable à celle de Huntington, mais sous une forme atténuée, dans les écrits de Bernard Lewis.

son laisser-faire en matière de morale et de religion, qui les banalise en faisant d'elles des affaires essentiellement privées, et son postulat relativiste posant que la religion est entièrement subjective et personnelle. C'est déformer, certes, l'optique américaine actuelle. Mais l'Amérique du XIXe siècle et, plus récemment, les démocraties catholiques en Italie et en Amérique latine se sont parfaitement adaptées à une théologie plus publique sans renier leurs constitutions démocratiques.

La théorie politique moderne a posé en effet, entre autres principes, que les démocraties dépourvues de valeurs enracinées dans des convictions éthiques et religieuses mettent en péril leur solidarité et leur unité en même temps que leur viabilité démocratique. Puisqu'elle se laisse de son plein gré déchirer par son engagement envers la liberté politique et le pluralisme civique, une démocratie doit être en mesure de s'unir autour d'une foi commune (comme le fait observer Tocqueville dans *De la démocratie en Amérique*). Parce qu'elles sont facilement désunies et bougonnes, pluralistes et ouvertes, les sociétés libres en quête d'esprit civique commun invoquent souvent des croyances civiques elles aussi communes qui énoncent une sorte de religion civile. Le credo citoyen de l'Amérique s'incarne dans un catéchisme civil qui inclut (entre autres) des documents tels que la Déclaration d'indépendance, la Constitution et la Déclaration des droits, la déclaration de Seneca Falls d'Elizabeth Cady Stanton*, la proclamation d'émancipation, le discours de Gettysburg de Lincoln, et le *I Have a Dream* de Martin Luther King Jr. Pourtant, ce sont plus souvent le matérialisme de marché agressif de

* Féministe et réformatrice sociale américaine (1815-1902). (*NdT*)

l'Amérique et sa laïcité intolérante qui s'exercent sur les sociétés religieuses confrontées à des Américains désireux de les « sauver » de la théocratie. Pourquoi ne paraîtraient-ils pas aussi dangereux aux peuples musulmans (ou d'ailleurs aux juifs ou aux chrétiens) que la théocratie agressive aux sociétés libérales de l'Ouest ? Les fondamentalistes protestants aux États-Unis s'alarment tout autant de la culture de consommation laïque que certains de leurs frères musulmans à Téhéran ou au Caire. Par ailleurs, des parents très laïcs élevés dans les boutiques grouillantes d'activité du centre commercial continuent de craindre que leurs enfants ne lisent pas assez, achètent trop et fassent de la télévision plutôt que de l'école la première dispensatrice des valeurs essentielles qui guideront leur vie.

Pour l'observateur objectif, il paraît clair qu'il n'existe aucune formule facile, et en aucun cas unique, pour faire cohabiter religion et institutions démocratiques en bonne harmonie. De même, les tensions entre l'islam et l'Ouest, ou entre la culture musulmane et la société ouverte, n'ont rien d'exceptionnel. Le christianisme, le judaïsme, le bouddhisme ou l'hindouisme éprouvent les mêmes difficultés à adapter leurs théologies aux exigences de la gouvernance laïque et indépendante. Le fondamentalisme hindou aujourd'hui, tel qu'il apparaît dans l'idéologie fanatique du Bharatiya Janata Party (Parti du peuple indépendant – BJP), pose à la démocratie indienne des problèmes aussi redoutables que tous ceux auxquels se heurtent les nations islamiques. Bien que le christianisme ait adopté, à l'initiative du pape médiéval Grégoire VII, la politique des « deux glaives » censée céder des pouvoirs et des domaines de compétence distincts à la sphère ecclésiastique et à la sphère séculière (au pape et à l'empereur), même le mur de séparation érigé par l'Amérique entre l'Église et l'État n'aura pas réussi à pleinement les dissocier. Or l'histoire accidentée des conflits du christianisme avec le gouvernement séculier et la démocratie enseigne des leçons sur la manière dont une théologie autrefois intolérante et outrecuidante a pu non seulement s'adapter au développement d'institutions démocratiques, mais aussi l'étayer.

Les nécessaires tensions liées à la religion et à la politique naissent des frictions entre les nombreux domaines humains qui définissent la pluralité humaine – entre le profane et le sacré, le privé et le public, le terrestre et le transcendantal. À un pôle, la théocratie se tient en embuscade – avec le triomphe de la religion sur la politique et l'anéantissement qui s'ensuit des frontières séparant sinon les divers domaines de la vie dans une culture florissante. Mais, à l'autre pôle, le risque de laïcité radicale – le triomphe des marchés séculiers et du matérialisme agressif sur les comportements, les mœurs et la religion – est à l'affût. En d'autres termes, une autre forme de destruction des frontières.

L'islam n'interdit pas plus l'essor de la démocratie que la laïcité ne le garantit. Il existe aujourd'hui divers degrés de démocratie dans des États musulmans comme le Bangladesh, la Turquie, Bahreïn, la république des Tatars, l'Indonésie, le Maroc et la Tunisie, voire le Pakistan. Les mollahs chiites sont en passe d'adopter une ligne prodémocratique. Comme l'a souligné récemment Seraj ul-Haq, ministre provincial disposant du plus grand parti religieux du Pakistan (le Jamiat Ulema-e-Islami) : « Nous sommes encore islamistes, mais nous sommes aussi démocrates [...]. Dans notre campagne, nous avons promis d'apporter la charia [le droit islamique] au peuple, mais cela signifie bâtir un État-providence et non pas couper des mains[1]. » Les voies de la démocratie sont innombrables, et sa cartographie n'est pas l'apanage d'une seule nation. Le respect des différences et de la diversité compte autant que la patience pour cultiver ses nombreuses formes. La religion garantit la solidarité et la communauté d'une société libre et offre un socle solide à ses obligations morales et politiques. Aux termes de la Déclaration d'indépendance, c'est en définitive le « Créateur » qui dote les hommes de leurs « droits inaliénables » à « la vie, la liberté et la poursuite du bonheur » sur lesquels se fonde le credo civique de l'Amérique ; c'est l'autorité du « Dieu de la nature » qui place ces droits au-dessus des gouvernements et des tribunaux. Leur mission sacrée est avant tout et surtout de garantir leur inviolabilité. C'est ainsi que l'État démocratique se réclame de la religion pour fonder sa croyance dans la liberté et les droits, quand bien même il garde ses distances avec l'Église institutionnelle.

Or, si en règle générale la religion ne place pas d'obstacles permanents sur la voie de la démocratie, la religion fondamentaliste, surtout dans ses expressions islamistes, semblerait présenter des problèmes spécifiques. On l'aura vu au lendemain de la guerre en Irak, lorsque la démocratisation s'est heurtée de front à l'islam chiite. Le problème devient plus aigu quand une nation en voie de démocratisation émerge de la tyrannie, mais qui

1. Cité par Pamela Constable, « Pakistan's mullah's speak softly », *Washington Post*, 22 mars 2003, p. A12. Pour un point de vue sur le passage de la république des Tatars du totalitarisme soviétique à la démocratie autoritaire islamique sous l'œil attentif de la Russie, voir Bill Keller, « Learning from Russia : Here's a model for how to shape a muslim state », *New York Times*, 4 mai 2003, sect. 4, p. 1.

plus est d'une tyrannie à coloration laïque ; ainsi avec les nationalistes de Nasser en Égypte dans les années 1950, avec le régime modernisateur du shah en Iran dans les années 1960 et 1970, ou avec les membres du parti Baas en Irak (et en Syrie, où ils sont encore prédominants). Là où la tyrannie a été théocratique (comme sous les talibans ou les ayatollahs iraniens à une période récente), la démocratisation peut aller de pair avec la laïcisation, mais là où la tyrannie s'abrite derrière un masque séculier, la guerre à la tyrannie et la guerre à la laïcisation paraîtront se confondre.

Dans ces conditions, lorsque le matérialisme agressif de l'Amérique s'allie aux autoritaristes laïques (en Égypte ou au Pakistan, par exemple), le refus de l'autoritarisme se mue sans peine en refus de la laïcité, puis – les États-Unis soutenant la démocratie – en refus de la démocratie. En outre, étant donné que le fondamentalisme transforme la tension naturelle de la religion avec l'État laïc en hostilité implacable, l'islamisme semblerait créer des problèmes spécifiques. Mais la plupart des religions conservent une trace de fondamentalisme même après s'être ouvertes aux façons du monde. Le gouvernement concentre son attention sur le corps vivant, temporel, et sur ses besoins matériels, tandis que la religion possède une dimension transcendantale tournée vers l'âme et vers ses origines et sa destinée surnaturelles. L'islam ne fait nullement exception à la règle. Dans sa phase « puriste » des débuts, la dimension spirituelle du christianisme refusa obstinément et totalement de se soumettre à l'autorité temporelle, en vertu de quoi l'on estima à juste titre qu'elle mettait en danger la légitimité même du pouvoir séculier. Certains juifs fondamentalistes remettent en cause aujourd'hui la légitimité même de l'État juif d'Israël. Des hindous fondamentalistes, je l'ai déjà indiqué, ont la haute main sur l'Inde aujourd'hui, cependant que des Américains fondamentalistes comme Franklin

Graham (le fils de Billy Graham) ne qualifient pas seulement l'islam de « religion très nocive et malfaisante », mais pourfendent la société américaine séculière, inhumaine et débauchée avec l'ardeur de ces mêmes ayatollahs qu'ils vouent aux gémonies[1]. Des cohortes infiniment plus nombreuses d'Américains chrétiens (dont tous ne sont pas fondamentalistes) invoquent des valeurs religieuses pour étayer leurs opinions politiques sur l'avortement ou la recherche sur la cellule embryonnaire.

Dans la démocratie laïque occidentale, les fondamentalistes se voient comme une minorité en état de siège envers laquelle la société laïque censément libérale témoigne peu de tolérance. Partout ailleurs dans le monde, les croyants, cernés par une culture commerciale mondialisante associée tant à l'Amérique qu'à la démocratie, considèrent la démocratisation comme une sorte de sécularisation insidieuse, un cheval de Troie à l'intérieur duquel se cache une armée d'experts en marchandisation contaminés par les consommateurs. Ils n'ont pas tort. Là où autrefois la religion gouvernait la culture et la société, et où ces adeptes (minoritaires) d'autres religions (ou sans religion du tout) se sentaient le besoin d'être protégés contre le paradigme prédominant, aujourd'hui, à l'ère du

---

1. Malgré les commentaires sévères de Graham sur l'islam (dans l'émission *Nightly News* de la chaîne NBC en novembre 2001), son organisation, Samaritan's Purse, a été invitée dans l'Irak de l'après-guerre en qualité d'organisation caritative. Voir Michelle Cottle, « Bible brigade », *New Republic*, 21 avril 2003. D'autres fondamentalistes américains ont laissé entendre que le 11 Septembre était le châtiment divin tombant sur une nation impie, mettant ainsi en évidence l'étrange perception schizophrène que le monde a de l'Amérique, augurant de la laïcité matérialiste mais hantée par des fondamentalistes religieux fanatiques aussi hostiles à la modernité que les islamistes tant redoutés par l'Amérique.

commerce mondial et de l'homogénéité culturelle de McWorld, ce sont de plus en plus les croyants qui se sentent en péril. Voguant à la dérive sur l'océan d'une laïcité qui qualifie leurs ferventes convictions religieuses d'aberrantes ou de réactionnaires, ils décèlent forcément dans la modernité et l'occidentalisation, et donc parfois dans la démocratisation, les signes avant-coureurs de la laïcisation et de la destruction de leur culture.

Les pourfendeurs du fondamentalisme allégueront que l'islamisme constitue une doxologie intolérante et portée au prosélytisme qui ne tolère pas les « infidèles ». Mais le fondamentalisme est lui-même le produit d'une culture en état de siège, et ses adeptes vulnérables se croient assiégés par une culture matérialiste axée sur l'intolérance et le prosélytisme qui fait peu de place réelle à la « diversité religieuse » au nom de laquelle le libéralisme prône sa propre doxologie libérale. L'Occident respecte la grammaire du pluralisme, mais d'autres oreilles croient reconnaître dans son langage l'homogénéité de Hollywood et redoutent à juste titre qu'elle ne soit l'inspiratrice de la démocratisation – surtout quand la démocratisation est assimilée à la marchandisation.

La religion, même fondamentaliste, est donc capable de se réconcilier avec la démocratie. Mais le pluralisme, un des traits de la démocratie, place les croyants fondamentalistes devant de graves problèmes qu'on ne peut dissimuler. Les fondamentalistes s'accommodent de la règle majoritaire : qu'il s'agisse des protestants dans l'Amérique du XIXe siècle, des catholiques dans l'Irlande du XXe siècle ou des hindous dans l'Inde du XXIe siècle, la religion majoritaire a parfaitement le droit de gouverner. Le gouvernement de la majorité est un élément déterminant (mais nullement le tout) de ce que signifie la démocratie. Si les 60 % d'Irakiens qui sont chiites s'organisent sur le plan politique et remportent des élections démocratiques, le régime chiite incarnera la démocratie tout en compromettant la liberté. C'est le pluralisme libéral, et non la démocratie, qui est en tension avec un régime religieux ; mais il s'agit en réalité de la reformulation dans un contexte religieux du problème générique auquel se heurte la démocratie en conciliant le gouvernement de la majorité et les droits de la minorité : le problème de la tyrannie majoritaire. La démocratie s'intéresse d'une part à l'autonomie et au gouvernement de la majorité, d'autre part à la liberté, aux limites du champ gouvernemental et aux droits de la minorité. Les premiers s'obtiennent par la participation politique et les élections, les seconds en limitant le pouvoir et en traçant des frontières entre les divers secteurs de la société. Si la religion – voire la théocratie – pose un problème à la démocratie, c'est parce que le majoritarisme n'est pas entièrement la démocratie, ni la démocratie toute la souveraineté populaire aux termes de la primauté constitutionnelle du droit. Mais, là encore, cela montre que la démocratisation des sociétés islamiques soulève des problèmes communs à toutes les démocraties – et à coup sûr à toutes les démocraties où la religion revêt une importance culturelle –, et non des problèmes spécifiques à l'islam.

La thèse de Paul Berman (dans son *Terror and Liberalism*), à savoir que l'islam extrémiste est une forme de totalitarisme, opère une déformation dangereuse qui classe à part le fondamentalisme islamique pour des problèmes endémiques dans toute religion et fait la distinction entre la règle majoritaire religieuse et la règle majoritaire *tout court**. Comme les autres religions, l'islam voit d'un œil méfiant les frontières qui veulent

* En français dans le texte. (*NdT*)

séparer la moralité de la politique, et le salut individuel des règles de droit valables pour tous. Le chiisme ou les codes vestimentaires ou comportementaux musulmans qui s'attirent les foudres des Occidentaux ne sont en réalité que des exemples des lois somptuaires laïques qui existent dans presque toutes les sociétés dans l'histoire humaine et que les démocraties occidentales connaissent bien (les *blue laws** au Massachusetts, par exemple, ou les « heures de fermeture » des débits de boissons en Angleterre et en Allemagne). Ils créent des tensions avec la laïcité, mais ne sont ni contraires à la démocratie ni même forcément intolérants. Nombre de penseurs laïques considèrent que la fermeture des magasins le dimanche est une grâce dispensée par la laïcité en mettant un jour de la semaine à l'abri du commercialisme effréné. Comme toujours, il s'agit d'une question de degré, un point qui se négocie dans toutes les cultures, en particulier à mesure que les sociétés deviennent plus diversifiées et hétérogènes. La lapidation des femmes adultères au nom d'une version du chiisme radical se révèle clairement incompatible avec l'égalité démocratique, mais comme l'était le marquage au fer rouge des femmes coupables d'adultère dans le Massachusetts puritain et comme le sont l'embrasement de croix et les lynchages « chrétiens » du Ku Klux Klan.

La religion, donc, pose toujours un problème aux États démocratiques laïques, et elle restera à n'en pas douter une difficulté majeure dans des pays comme l'Afghanistan et l'Irak à mesure qu'ils émergent de tyrannies traditionnelles – l'une théocratique, l'autre

* Ensemble de lois prescrivant un repos austère le dimanche et prohibant toute distraction. (*NdT*)

laïque. Mais elle ne constitue pas une barrière infranchissable pour la démocratie, ni un obstacle rédhibitoire sur le chemin des musulmans (ou des chrétiens, ou des juifs, ou des hindous) à mesure qu'ils s'orientent vers une société civile et un gouvernement démocratique libres. En réalité (et c'est bien le paradoxe), même si la religion dans le monde musulman l'inquiète, l'administration américaine s'efforce en ce moment de surmonter certaines conséquences artificielles de la séparation de l'Église et de l'État aux États-Unis en instaurant des politiques de protection sociale fondées sur des « institutions civiques d'inspiration confessionnelle ». La religion joue un rôle particulièrement important (là encore, voir Tocqueville) dans les sociétés en voie de démocratisation du type de celle des États-Unis dans les années 1830, en contribuant à cimenter une culture que les tensions de la liberté moderne risquent de faire éclater. La société libérale saine et florissante est soudée par des croyances communes, quand bien même elle accueille des opinions plurielles et des idéologies conflictuelles. Elle ne fait pas la guerre à la religion, elle fait de la place aux religions.

Les États-Unis, s'ils veulent appliquer la démocratisation aux termes d'une stratégie de démocratie préventive visant à paralyser le terrorisme dans le contexte de la culture islamique, devront montrer plus de patience qu'ils ne l'ont fait jusqu'ici, et comprendre que les vertus spéciales de tolérance et de pluralisme de la démocratie n'entendent pas seulement protéger l'État de la religion, mais aussi la religion de l'État. Or la tendance des progressistes à protéger la religion en la séparant de l'État se transforme parfois en désir de la traiter comme une institution privée, et non publique. Une telle attitude risque de banaliser les croyances religieuses, de nier leur dimension foncièrement publique, et de fournir un argument aux sociétés encore sous la poigne du zèle religieux pour se méfier du libéralisme. Les progressistes craignent que la religion ne compromette leur liberté, mais les religieux se demandent s'ils seront tolérés par ceux qui se disent libres. Essayez donc de trouver sur le réseau de télévision commercial américain ou dans la laïcité cynique de la plupart des films de Hollywood une description de la religion qui ne soit pas condescendante ou ne la tourne pas en dérision, une image des convictions religieuses qui montre la ferveur sans fanatisme, ou une étude de la foi transcendantale qui ne tombe pas dans la caricature. Le réseau câblé offre des solutions de rechange évangéliques, mais la pop culture de McWorld présente la foi évangélique sous un jour légèrement ridicule, de la même façon qu'elle fait des convictions religieuses du président Bush un objet de suspicion. On a du mal à reconnaître dans cette Amérique si méfiante envers la religion des autres une nation conçue dans le berceau du protestantisme ou un peuple qui, même aujourd'hui, reste plus pratiquant que ceux des démocraties européennes. Franklin Roosevelt condamna les nazis en termes vigoureux et religieux, Jimmy Carter affirma haut et clair sa foi évangélique, et une demi-douzaine de présidents de la guerre froide virent dans l'« impiété » de l'Union soviétique le pire de ses péchés. Le Congrès continue d'entamer ses sessions par une prière et les présidents ont de tout temps terminé leurs discours par un « Dieu bénisse l'Amérique » ; pourtant, le président Bush inspire la méfiance à beaucoup de ses détracteurs parce qu'il est un méthodiste convaincu, animé par la ferveur indiscutable de sa « nouvelle naissance ». Le pluralisme ne doit pas censurer la ferveur religieuse, mais renforcer le respect de la diversité religieuse.

Mettre en garde contre l'exportation brute de l'engagement religieux de l'Amérique sous la forme d'institutions politiques exceptionnelles et de valeurs laïques agressives ne signifie pas que son expérience de la démocratie et l'histoire de ses pratiques démocratiques ne sauraient servir aux autres, ou que ses conseils et son soutien concret ne sauraient aider à établir une infrastructure civique. C'est seulement dire que l'Amérique ne sera pas en mesure de transformer les autres nations en démocraties de par sa seule volonté. Tenter de le faire créera vraisemblablement un environnement où ce qui apparaît à l'Amérique comme un combat pour propager la démocratie et les droits dans le monde sera compris par les autres nations comme de l'arrogance brutale – le désir à peine voilé de s'acquérir un empire. Lorsque la main qui tient la Déclaration des droits et se tend dans un geste d'amitié est seulement vue comme la jumelle gantée de la poigne de fer qui conquiert les États voyous, la libération devient alors synonyme de *pax americana*.

Le président Bush a montré qu'il mesurait plus ou moins les dangers de l'orgueil excessif lorsque, dans le deuxième débat qui l'opposait à Al Gore avant l'élection présidentielle de 2000, il a rétorqué à son adversaire : « Notre nation jouit aujourd'hui d'une puissance sans égale au monde. Et c'est pourquoi nous devons faire preuve d'humilité tout en montrant notre force pour faire progresser la liberté [...]. Si nous sommes une nation arrogante, on nous verra ainsi, mais si nous nous montrons humbles, on nous respectera. » Peut-être faut-il y voir un effet bénéfique des convictions chrétiennes de Bush. Les événements du 11 Septembre, propres à renforcer cet appel à l'humilité, semblent pourtant l'avoir émoussé. Profondément courroucé par l'attaque terroriste (une colère qui explique presque tout ce que le président a fait depuis), George Bush prit une nouvelle conscience de la « mission morale de l'Amérique ». Et, bien qu'il comprît assez que si la guerre contre le terrorisme prenait les traits d'une guerre de religion les États-Unis risquaient de faire figure de conquérants, et même s'il soulignait son désir qu'ils « apparaissent en libérateurs », il parut incapable en définitive de résister à la tentation de se poser en noble moralisateur sur ce ton de vertu satisfaite qui, peut-être plus que les orientations de l'Amérique elles-mêmes, a brouillé celle-ci avec ses amis et ses alliés.

Le président s'est retrouvé pris dans un dilemme qui exprimait l'embarras de l'Occident *tout court**. Il voulait faire progresser les droits de l'homme, la liberté et la démocratie au nom de la mission morale de l'Amérique. Il voulait aussi qu'on sache qu'il était impossible de « transiger » avec ce système de valeurs, puisqu'il représentait les « valeurs que Dieu nous a données ». Ce qui revenait, paradoxalement, à prêcher un évangile américain dont le message était le suivant : ces valeurs « n'ont pas été inventées par les États-Unis. Il y a la liberté, la condition humaine, l'amour des mères pour leurs enfants. L'important quand on énonce une politique étrangère, par la voie diplomatique et l'action militaire, est de ne jamais donner l'impression que nous créons… que nous sommes les auteurs de ces valeurs[1] ». Le président semblait à la fois évoquer cette humilité dont il avait parlé dans sa campagne (« ce ne sont pas seulement *nos* valeurs ») et

---

* En français dans le texte. (*NdT*)

1. Woodward, *Bush s'en va-t-en guerre*, *op. cit.*, p. 151.

l'orgueil démesuré qui avait inspiré son administration depuis le 11 Septembre (« la mission de l'Amérique est de faire appliquer ces valeurs dans le monde par la guerre au besoin »). Les membres d'une administration de plus en plus « va-t-en-guerre » *(hell-bent on war)* en Irak[1] face à des Nations unies de moins en moins tentées de participer à un conflit de cette nature frémissaient d'un orgueil de bravaches. Le secrétaire à la Défense Donald Rumsfeld renchérit sur les journalistes de droite qui avaient traité les Français de « singes capitulards » en faisant une croix sur la « vieille Europe », laissant entendre que l'Allemagne appartenait à une coterie de nations récalcitrantes, parmi lesquelles la Libye et Cuba. Dans ce qui fut aussitôt un best-seller, Robert Kagan expliqua que les Européens venaient « de Vénus », planète d'esprits faibles et frileux, tandis que les États-Unis venaient « de Mars », en prise directe avec le monde réel de la violence et de l'anarchie, et prêts à le soumettre par une guerre virile[2]. Morton Kondracke, un commentateur politique de Washington, déclara – avec cette désinvolture de m'as-tu-vu que le câble exige de ses habitués – que les États-Unis étaient « de loin le pays le plus puissant du monde, et ça, un tas de minus envieux comme la France ne l'encaissent pas[3] ». La guerre préventive, même quand elle vise des cibles terroristes appropriées, passera alors facilement pour outrecuidante même à des amis et alliés de l'Amérique. Proposé sans humilité, même l'ordre du

---

1. « Hell-bent on war » fut le titre que *Newsweek* donna à son dossier sur l'Irak dans son numéro du 17 février 2003.

2. Kagan, *La Puissance et la Faiblesse*, *op. cit.*

3. Cité par Joseph S. Nye Jr., *The Paradox of American Power : Why the World's Only Superpower Can't Go It Alone*, New York, Oxford University Press, 2002, p. 157.

jour pacifique de la démocratie préventive peut paraître arrogant. Parce qu'elle est un géant, l'Amérique doit toujours craindre que même ses actions les plus irréprochables ne soient comprises par le reste du monde comme intéressées, sinon carrément perfides. Il y a un siècle, lorsqu'elle entreprit de se constituer un empire à l'ouest, ce que William T. Stead appelait l'« américanisation du monde[1] » inquiétait déjà.

Comprendre que la priorité doit être donnée aux citoyens dans la construction d'une société démocratique autochtone peut ouvrir une voie vers l'humilité. Des institutions libres contribuent à former des hommes et des femmes libres, mais seuls des hommes et des femmes qui se battent pour la liberté et en ont une certaine connaissance peuvent forger des institutions libres. Jefferson posa dans la Déclaration d'indépendance que les hommes sont nés libres ; or il créa l'université de Virginie parce qu'il savait que la vraie liberté s'acquiert – qu'elle est le produit de l'éducation, du savoir, de l'expérience et de la prise en main de son propre destin. Les fondateurs américains comprirent avec lucidité qu'il leur fallait créer des citoyens pour que la Constitution soit plus qu'un garde-fou en parchemin contre la tyrannie. La Déclaration des droits, aimait à dire Madison, est un morceau de papier et ne serait garantie que par des citoyens compétents et engagés. John Adams au Massachusetts, tout autant que Thomas Jefferson en Virginie, avait dit et répété que des écoles gratuites pour les futurs citoyens représentaient la condition indispensable à l'épanouissement de la démocratie.

1. William T. Stead, *The Americanization of the World*, Londres, H. Markley, 1902.

Tocqueville parla avec lucidité des hommes qui naissaient non pas libres, mais en ayant besoin d'un long « apprentissage de la liberté ». Le plus grand prophète historique de la démocratie, Jean-Jacques Rousseau, comprit que le citoyen était au cœur de tout. À ceux qui en appelaient au patriotisme, il répliquait : « La patrie ne peut subsister sans la liberté, ni la liberté sans la vertu, ni la vertu sans les citoyens ; vous aurez tout si vous formez des citoyens ; sans cela, vous n'aurez que de méchants esclaves, à commencer par les chefs de l'État[1]. »

D'après Rousseau, on ne naît pas citoyen, on est fait citoyen, ce qui explique que ses écrits sur l'éducation (*Émile ou De l'éducation* et *Julie ou la Nouvelle Héloïse*) empruntent tant à sa conception de la démocratie. La liberté, notait-il dans ses *Considérations sur le gouvernement de Pologne*, est un aliment facile à consommer, mais difficile à digérer. Libérer les hommes de la tyrannie est une chose, les aider à développer leur capacité d'exercer leur autonomie en est une autre. Le président Bush croyait qu'en libérant les Irakiens de la tyrannie brutale de Saddam Hussein il en faisait des citoyens libres. Mais être libéré de l'autocratie n'est pas être libre de se gouverner soi-même. Changer de maître ne signifie pas la fin de la servitude. S'il avait consulté le plus grand philosophe démocrate de l'Amérique, John Dewey, le président Bush se serait entendu rappeler que la pratique avisée de la démocratie repose sur une solide philosophie de l'éducation, et peut-être aurait-il ordonné à ses troupes à Bagdad d'empêcher le pillage non seulement du ministère du Pétrole, mais encore des écoles, des musées et des bibliothèques.

---

1. Jean-Jacques Rousseau, *Discours sur l'économie politique*, Paris, Garnier-Flammarion, 1990, p. 77-78.

Les enseignements en matière de politique de sécurité sont clairs : une Amérique désireuse de se protéger de la terreur en créant un monde de nations libres doit porter au moins le même intérêt aux citoyens intelligents qu'aux bombes intelligentes. Le premier mouvement de l'Amérique conduite à dépenser ses dollars à l'étranger a été de former des soldats, et non des citoyens. Il coûte infiniment plus cher de former les premiers, alors que la formation des seconds offre un retour sur investissement bien plus avantageux pour la démocratie.

À l'heure où les États-Unis font cause commune avec des élites militaires amies au Pakistan, en Égypte et en Arabie Saoudite, dépensant des milliards en entraînements militaires et en armements, l'Arabie Saoudite finance des écoles religieuses fondamentalistes dirigées par des militants islamiques wahhabites dans des pays comme le Pakistan ou la Bosnie, où l'insuffisance des financements occidentaux n'a pas permis d'aider à créer des écoles publiques autochtones (pas de style américain). En Bosnie, par exemple, « on a gaspillé beaucoup de temps et d'argent sur des projets mal coordonnés », regrette un censeur local ; cependant que l'Arabie Saoudite a dépensé plus de 500 millions de dollars en Bosnie, dont une bonne partie a servi « à diffuser son interprétation rigide de l'islam dans un pays où la plupart des musulmans sont d'une piété très discrète[1] ». Les Saoudiens savent que garder la haute main sur l'éducation représente une bien meilleure option sur le futur que contrôler le flux d'armes ou la formation d'élites mili-

1. Cette critique est formulée par Zarko Papic, et les deux citations sont tirées de Daniel Simpson, « A nation unbuilt : Where did all that money in Bosnia go ? », *New York Times*, 16 février 2003, sect. 4, p. 12.

taires. Le peu d'attention porté par l'Occident à l'éducation crée un vide que les fondamentalistes ne demandent qu'à combler. La pédagogie wahhabite d'orthodoxie islamique, d'inégalité des sexes, de théocratie et de haine des infidèles forme de nouvelles générations de guerriers musulmans pour Djihad ; que faudrait-il pour les transformer en citoyens fervents de la démocratie ? L'Amérique commence à peine à réfléchir au subtil équilibre pédagogique indispensable si l'on veut qu'une société musulmane ait des écoles qui créent l'esprit civique sans entraîner le laïcisme, qui incarnent les valeurs de l'islam sans engendrer l'intolérance religieuse. Il y a des modèles à explorer en Turquie, au Bangladesh, au Mozambique et au Sri Lanka, où l'enseignement public islamique s'est développé sans préjugés contre l'Occident ou la modernité. L'éducation nous enseigne que la guerre préventive, même victorieuse, ne peut au mieux que déloger les terroristes d'aujourd'hui. La démocratie préventive nourrie d'éducation citoyenne s'adresse à ceux qui pourraient être les terroristes de demain.

Les États-Unis se heurtent certes à des paradoxes difficiles lorsqu'ils soutiennent l'éducation dans d'autres cultures. Le respect nécessaire de la diversité et l'humilité en matière de pédagogie exigent des Américains qu'ils fassent preuve de la même retenue en exportant l'éducation qu'en exportant la démocratie. En même temps, ils doivent aider à mettre en place hors de leurs frontières des solutions de remplacement à des formes d'éducation doctrinaires et orthodoxes plus proches de l'endoctrinement dogmatique que de la pédagogie. Comment le président Moucharraf proposera-t-il une alternative aux plus de trente mille madrasas wahhabites en activité sur le sol pakistanais s'il manque de fonds pour assurer un système d'éducation public satisfaisant ?

Les services de renseignement pakistanais ont effectué un travail remarquable en arrêtant des terroristes, mais sans pouvoir endiguer l'expansion du terrorisme. L'Amérique peut certainement financer un budget et partager les fruits de la recherche sans devenir pour autant un maître d'école colonial imposant les critères de la pédagogie américaine au système d'éducation pakistanais. La coopération avec l'UNESCO et les ONG internationales tournées vers l'éducation, ainsi que les conseils des spécialistes en éducation comparée des excellentes *schools of education** américaines, pourraient accroître la légitimité de cet enseignement, atténuer l'idée qu'éduquer égale américaniser, et sensibiliser les esprits aux critères culturels et historiques locaux[1].

Le Congrès, on le comprend, se plaît à voir le sceau du *made in America* sur toute l'aide humanitaire et économique, mais les contributions anonymes peuvent servir avec beaucoup plus d'efficacité les intérêts à long terme de l'Amérique. Le coût de l'intervention en Irak

---

* Les *schools* ou *colleges of education* forment les enseignants du primaire et du secondaire à l'intérieur des universités. (*NdT*)

1. Le College of Education de l'université du Maryland a conduit une recherche sur l'éducation comparée qui peut s'appliquer tout particulièrement aux sociétés islamiques. Voir Jo-Ann Amadeo *et al.*, *Civic Knowledge and Engagement : An IEA Study of Upper Secondary Students in Sixteen Countries*, Amsterdam, The International Association for the Evaluation of Educational Achievement, 1999 ; et Judith Torney-Purta *et al.*, *Citizenship and Education in Twenty-eight Countries : Civic Knowledge and Engagement at Age Fourteen*, Amsterdam, The International Association for the Evaluation of Educational Achievement, 2001. Voir aussi les rapports de l'UNESCO sur l'éducation dans le monde et *Education Sector Strategy*, Washington, World Bank, 1999. Pour des informations sur les contrôles de niveau dans les écoles musulmanes en Amérique, consulter le Council on Islamic Education.

s'élèvera peut-être à 100 milliards de dollars. Imaginez ce qui pourrait être réalisé avec un budget de cette ampleur s'il était affecté aux sociétés de la planète incapables à l'heure actuelle d'élever leurs enfants. Pourquoi les États-Unis peuvent-ils débloquer dans l'urgence des centaines de milliards de dollars pour des guerres dont rien ne garantit les résultats futurs, et rechigner à consacrer 1 % de cette somme à une aide à l'éducation qui réduirait considérablement les risques de guerre pour la prochaine génération ? L'éducation construit les bases de la démocratie, mais aussi celles du développement économique (connaissances et savoir-faire techniques), de la santé publique (hygiène, contraception, diminution des maladies sexuellement transmissibles) et de la stabilité culturelle (connaissances culturelles élémentaires, tolérance à la diversité). L'ignorance en soi n'engendre pas le terrorisme, mais elle produit beaucoup des pathologies dont il se nourrit – la pauvreté, le chômage, le sectarisme, le ressentiment, la haine de l'« autre », le désir forcené de revanche. La conviction que les livres sont plus puissants que les balles est le principe premier de la démocratie. Elle devrait être aussi la pierre angulaire de la protection de la démocratie contre le terrorisme.

Nul n'ignore aux États-Unis que la criminalité, la maladie et les pathologies sociales sont en étroite corrélation avec l'absence de scolarisation. Les élèves qui abandonnent leurs études constituent la majorité écrasante de la population carcérale américaine. La poursuite des études en prison représente de loin le meilleur moyen de réduire les risques de récidive après libération[1]. Dans

1. Pour des statistiques corroborant ce constat et une étude de la diminution du taux de récidive due à l'éducation, voir James Gilligan, *Preventing Violence*, New York, Thames & Hudson, 2001.

toutes les couches de la population, un faible niveau d'instruction reste la donnée prévisionnelle la plus fiable en matière de pauvreté, état sanitaire déficient, mortalité élevée, enfants nés hors mariage et presque tous les autres indicateurs d'échec dans la société. Si l'ignorance favorise la criminalité sur le sol national, à l'étranger le déficit éducatif trouve son expression la plus aiguë dans le terrorisme. Comme les révolutionnaires, les anarchistes et autres avant-gardes de la violence, les terroristes eux-mêmes ont souvent fait des études (ce qui explique en partie leur rôle de chefs) ; certains les ont même poursuivies au sein des sociétés qu'ils ont fini par exécrer (ce contact leur permet de mieux dénoncer la corruption et la dépravation morale de leurs ennemis) ; mais, même s'ils ne s'en sont pas tenus à une formation professionnelle et technique – leurs doctrines de fin du monde affirment souvent un profond ancrage théologique et philosophique –, les campagnes de haine et de vengeance de ces élites exploitent la marginalisation, l'ignorance et le fanatisme d'une population plus massive qui a été entièrement privée des bienfaits de l'éducation.

L'arsenal militaire traditionnel offre une réponse inadaptée et sans commune mesure avec les forces que les terroristes peuvent mobiliser contre la démocratie. Mais les forces de la démocratie et de l'éducation civique s'y prêtent superbement. Le savoir cosmopolite parle à l'ignorance, émoussant le fil des préjugés et atténuant l'intensité de la haine. De plus, il est moins coûteux d'encourager le développement d'une démocratie autochtone par le biais de l'éducation que de l'imposer de l'extérieur avec des fusils ou des dollars visant à prescrire un modèle politique ou économique exogène.

Le déploiement de la puissance militaire évoque l'ancien monde des nations souveraines. Le recours à la puissance de l'éducation répond au nouveau monde de l'interdépendance planétaire. Les défauts de la guerre préventive découlent de sa foi en des notions caduques sur le fonctionnement du pouvoir dans un monde en voie de disparition gouverné par des États-nations. L'attrait de la démocratie préventive tient au fait qu'elle reconnaît l'interdépendance de la planète. Elle cherche moins à donner du blé à une nation affamée qu'à l'aider à apprendre à cultiver ses propres récoltes, elle s'attache moins à extraire des ressources naturelles qu'à diversifier l'économie et à créer des emplois ; elle veille à éviter (comme dans le mot d'ordre du mouvement social américain) de « faire pour les autres ce qu'ils ne peuvent faire pour eux-mêmes » ; elle se préoccupe plus d'aider un pays à présenter une version non révisée de ce qu'il est qu'à ressembler à l'Amérique. Elle y parvient par la coopération et la réciprocité, non par le bilatéralisme et une aide paternaliste du type « un petit service en vaut un autre ».

En définitive, l'existence de la démocratie ne se voit garantie que par les intéressés. L'imposer de l'extérieur avec les meilleures intentions du monde reste la meilleure façon de courir à l'échec. En même temps, il ne peut exister de démocratie dans un pays quand elle n'existe pas chez son voisin, au Nord quand elle n'existe pas au Sud. L'interdépendance signifie que la démocratie doit opérer pour tous, au risque sinon de ne fonctionner pour personne à long terme. On ne cultivera la démocratie au sein des nations que si elle gouverne les rapports entre les nations. Si le contrat social ne peut s'étendre à la planète, ses clauses ne réussiront probablement pas à garantir la liberté et la sécurité à l'intérieur des nations. L'objectif ultime de la démocratie préventive n'est donc ni McWorld ni AmericaWorld, mais « CivWorld » : un monde de citoyens pour qui le contrat social proposé à la planète entière constitue désormais un pacte de survie.

9

CivWorld

> L'indépendance des États ne peut plus être comprise
> sans la notion d'interdépendance.
> Tous les États sont liés pour le meilleur et pour le pire.
> JEAN-PAUL II[1].

> Le terrorisme est un problème multilatéral.
> On ne peut pas le vaincre dans un seul pays.
> Il faut un travail de police international, un travail d'équipe,
> l'harmonisation internationale des lois [...]. L'action unilatérale
> [...], c'est ce qui vous tuera dans la guerre contre le terrorisme.
> Wesley CLARK[2].

Le terrorisme a ceci de paradoxal qu'il peut utiliser l'hégémonie militaire de l'Amérique à son propre avantage parce que ses cadres se trouvent relativement à l'abri des armes conventionnelles, parce que, comme le signale le général Wesley Clark ci-dessus, le terrorisme est un problème multilatéral. Ni l'endiguement ni la guerre préventive dirigée contre des États ne peuvent l'arrêter. La

1. Allocution de Sa Sainteté au corps diplomatique, Rome, 13 janvier 2003.
2. Cité par Michael Tomasky, « Meet Mr. Credibility », *American Prospect*, vol. 14, n° 3, mars 2003.

démocratie préventive a de bien meilleures chances d'y parvenir. La démocratie annule en effet le contexte qui permet au terrorisme de s'épanouir – asséchant le marais dans lequel les moustiques nocifs se reproduisent, comme le veut une métaphore populaire. À la différence de la guerre préventive contre un État, elle aborde de front le terrorisme et ne peut être déformée pour servir les fins du terrorisme. Mais quand la guerre préventive contre Djihad vise les prétendus fondés de pouvoir du terrorisme comme l'Irak, même une guerre victorieuse prend des allures de croisade en singeant la propre violence de Djihad et en attisant les feux qui l'embrasent. (Avant de fixer son choix sur la stratégie « choc et stupeur » pour sa guerre en Irak, l'Amérique joua avec le terme encore plus incendiaire de « croisade ».) De même, les dommages collatéraux, comme les États-Unis qualifièrent pudiquement les morts de civils, furent sans doute lus en d'autres termes ailleurs.

En réalité, dans la guerre en Irak, il y eut un discours dicté par le gouvernement américain et auquel souscrivit la majorité du peuple américain (mais en aucun cas tout le peuple américain), et un autre sous-jacent dans lequel les différentes narrations de nombreux peuples du monde prirent un autre sens. Le discours américain, infléchi par la doctrine du caractère exceptionnel de l'Amérique, fut celui du 11 Septembre dans lequel les Américains virent un coup sans commune comparaison porté contre eux par des actes terroristes hideux. Il justifia la guerre comme un juste châtiment en même temps qu'une action préventive contre Saddam Hussein, Hitler du XXIe siècle, dont la menace de détruire le monde par des armes de destruction massive fut annulée par une armée américaine courageuse à la tête d'une coalition d'hommes de bonne volonté, malgré des Nations unies récalcitrantes et lâches. Le discours sous-jacent parlait d'une Amérique qui exagérait ses souffrances tout en minimisant celles des autres ; d'une guerre d'agression déclenchée par les États-Unis dans laquelle un malabar arrogant écrasait un écureuil du désert courageux mais désespérément surpassé. Dans ce discours qui dépouillait les deux adversaires de leurs arguments et justifications, oubliant si l'Amérique se battait pour l'honneur et la vengeance ou pour le pétrole et ses ambitions impérialistes, si Saddam Hussein était un tyran méprisé ou un bien-aimé Saladin des temps modernes, le choc des deux armées se résuma en définitive à une affaire de privilégiés tuant les populations marginalisées, de riches bombardant les pauvres. Reproduite à l'écran, la guerre offrit à la terre entière – sauf aux Américains, trop occupés d'eux-mêmes – un portrait pixélisé de technosoldats arrogants à l'humanité cuirassée dans des armures en Kevlar, aux sens aiguisés par les lasers et la vision nocturne, au système nerveux protégé par des masques à gaz et des combinaisons anti-agents chimiques, conduisant à une vitesse aberrante le rouleau compresseur d'un colosse militaire moderne sur des bandes de miliciens en haillons dotés d'armes d'une autre génération et appliquant des tactiques d'un autre siècle, néanmoins capables de lancer des attaques imprévues et de semer la désolation chez ceux qui avaient décidé de les plonger dans le néant, pétrifiés par le choc et la stupeur. Malgré l'asymétrie radicale des forces en présence (pour reprendre les mots d'un colonel irakien : « Nous ne sommes pas des lâches, mais à quoi bon ? J'ai un fusil qui date de la Seconde Guerre mondiale. Que puis-je faire contre des avions américains[1] ? »), les gens qui étaient censés accueillir l'armée d'invasion les bras ouverts ne répondirent pas à cette

1. Le colonel Ahmed Ghobashi, cité par Dexter Filkins, « As many Iraqis give up, some fight fiercely », *New York Times*, 23 mars 2003, p. B1.

attente. Le « pas de résistance » hyperbolique avec lequel les Américains se vantèrent de leur supériorité militaire écrasante était du même acabit que la « promenade de santé » bouffie d'orgueil qui parut à d'autres un exercice d'autoglorification de l'impérialisme des gros bras, exécuté par des Américains résolus à se montrer coûte que coûte à la hauteur de leur propre battage publicitaire[1].

Cette vision sceptique passa inaperçue aux États-Unis pendant la période de ralliement autour du drapeau ; mais, dans la mesure où la politique est une affaire de perception, le discours sous-jacent des observateurs extérieurs, exact ou non, laissa entendre que la guerre d'Irak était peu faite pour améliorer la position de l'Amérique dans le monde, sans même parler de réduire la menace du terrorisme mondial contre elle. Malgré l'activité des services de renseignement et la coopération accrue entre la police nationale et les services de contre-espionnage de l'armée, la période comprise entre les opérations en Afghanistan et en Irak vit des attentats terroristes meurtriers contre une synagogue à Djerba en Tunisie (avril 2002), l'hôtel Sheraton à Karachi (mai 2002), le consulat américain à Karachi (juin 2002), un night-club à Bali (octobre 2002) ainsi qu'un hôtel et un avion au Kenya (novembre 2002), faisant deux cent trente-six morts au total et un nombre encore plus important de blessés tout en propageant la peur là où existaient des *soft targets*, des cibles vulnérables, autrement dit dans le monde entier. Après la guerre d'Irak, des attentats frappèrent Riyad, en Arabie Saoudite, et Casablanca, au Maroc (les deux en mai 2003). C'est ainsi que la guerre préventive renforce l'image de l'Amérique en guerrier conquérant qui

1. Ken Adelman, ancien responsable de la sécurité nationale de l'administration Reagan, avait écrit un article pour le *Washington Post* au début de 2002, intitulé : « Cakewalk in Iraq » (13 février 2002, p. A27).

se dissimule derrière une rhétorique de hautes valeurs morales et d'idéalisme démocratique, sans avoir d'effet réel sur le terrorisme.

La démocratie préventive, en revanche, répond directement au discours sous-jacent en travaillant à transformer le marais dans lequel naît le terrorisme en terreau productif, en y semant tout ce dont il manque – le savoir, la liberté, l'autonomie, des chances d'avenir et la sécurité. Elle ébranle la capacité du terrorisme à exploiter la prétendue hypocrisie et l'orgueil démesuré de ses ennemis occidentaux. Parce qu'elle donne des moyens d'action à ceux qui n'ont aucun pouvoir, la démocratie authentique offre précisément ce qui fait défaut aux populations harcelées par les tactiques autodestructrices du terrorisme : la capacité de maîtriser leur destin. Tennyson imaginait un « Parlement de l'homme » qui incarnerait une tolérance cosmopolite et donnerait les moyens de l'autonomie. Le jiu-jitsu terroriste a fait des merveilles avec la technologie et les armements occidentaux, mais il n'a guère de prise sur de tels idéaux pour parvenir à ses fins. On ne détourne pas plus la liberté qu'on ne peut simuler l'égalité.

La démocratie aussi a des coûts, certes, surtout en temps et en patience. Comme le fait observer Joseph Nye, la coopération civile qui s'exerce autour du *soft power* de la culture, de la société civile et de l'idéologie – article utile du cahier des charges de la démocratie préventive – peut exiger « des années de travail patient, peu spectaculaire, notamment une étroite coopération civile avec d'autres pays[1] ». Chez ceux qui ont faim de liberté, l'appel à la patience semblera une mise en garde égoïste de la part de ceux qui préfèrent ne pas les aider. Mais il garantit en

1. Nye, *The Paradox of American Power*, *op. cit.*, p. xv.

réalité un engagement plus réfléchi, plus persévérant et plus durable. Comme un adolescent vite distrait, l'Amérique à la concentration volage cesse trop souvent de s'intéresser à ses anciennes conquêtes dès qu'elle passe aux suivantes. En 2002, les États-Unis ont consacré la plus grande partie de leur aide destinée à l'Afghanistan à des projets humanitaires. Mais cette année, d'après Marc Kaufman, membre de la rédaction du *Washington Post*, bien que « presque toutes les structures importantes du pays soient en panne », les États-Unis dépenseront davantage pour « développer l'armée, dont les effectifs actuels de 3 000 hommes devront atteindre le chiffre de 70 000 ». L'aide initialement prévue par l'administration Bush s'est réduite à des niveaux si bas que le ministre des Finances afghan, Ashraf Ghani, ne cache pas ses craintes de voir l'Afghanistan devenir « un État narco-terroriste qui posera un problème constant au monde » – c'est-à-dire, s'il existe encore un État afghan lorsque l'Amérique aura fini de financer les « milices et chefs de guerre locaux dont son armée croit avoir besoin dans la guerre contre les extrémistes musulmans[1] ». Faisant appel à des civils capables d'entretenir une coopération durable et non à des soldats perpétuellement immobilisés par un ennemi invisible, la démocratie préventive n'exige pas seulement que les pays travaillent ensemble, mais encore que l'association civique et les organisations non gouvernementales en fassent autant, et que les individus communiquent de citoyen à citoyen au moyen des anciennes et des nouvelles technologies. Surtout, elle fait du savoir la condition préalable à la liberté. L'Afghanistan a

1. Marc Kaufman, « Embracing nation building », *Washington Post National Weekly Edition*, 21-27 avril 2003, p. 16.

besoin de 70 000 enseignants. S'ils étaient en place, il ne faudrait peut-être pas 70 000 soldats.

Il est tout aussi difficile d'instaurer une démocratie mondiale entre les nations que la démocratie à l'intérieur de nations sortant du traditionalisme, de la tyrannie ou de la guerre. Dans les interactions traditionnelles entre États qui conduisirent à aborder les relations internationales sous l'angle du « concert des nations », les citoyens se voyaient au mieux représentés par leurs gouvernements ; au pis, ils se contentaient d'être leurs sujets passifs. Dans les nouvelles formes d'interaction que préconise la démocratie préventive, les citoyens et leurs associations civiques se représentent eux-mêmes, recherchant des formes mondiales de gouvernance démocratique fondées sur la coopération civique et celle du secteur tertiaire. On ne visera pas d'emblée une gouvernance démocratique mondiale sur le modèle d'un « fédéralisme mondial » ni d'un « gouvernement planétaire », mais on s'attachera plus modestement à poser les bases d'une coopération citoyenne mondiale : à mettre en place un « CivWorld » civique, civil et civilisé qui favorisera des formes transnationales de citoyenneté. Ce n'est pas une tâche aisée et elle exige plus que de beaux discours. L'Europe, qui a pourtant appris à mettre en commun la souveraineté et à renoncer aux modèles traditionnels d'indépendance souveraine, peine encore à instaurer un sentiment puissant de citoyenneté régionale. L'euro reste aujourd'hui un symbole d'identité régionale plus convaincant que le fait d'être européen.

La citoyenneté s'est toujours rattachée à des activités et à des comportements de voisinage (« La liberté est municipale ! » fut l'intuition majeure d'Alexis de Tocqueville) : en d'autres termes, imaginer ce qu'implique la citoyenneté mondiale se révèle une tâche décourageante, certes, mais absolument nécessaire. Car, si la participation est locale, le pouvoir est mondial : si les citoyens locaux ne s'engagent pas mondialement, les vrais leviers du pouvoir resteront hors de leur portée.

La voix de l'opinion publique mondiale qui commence à se faire entendre donne un aperçu de ce que la citoyenneté transnationale peut accomplir. À peine audible il y a une génération, la voix collective et spontanée des citoyens s'exprime aujourd'hui sur des questions qui débordent de loin leur entourage – montrant que l'interdépendance rend l'idée d'un voisinage mondial moins contradictoire que jusqu'à maintenant. Lorsque l'ancien dictateur du Chili, aujourd'hui âgé, le général Augusto Pinochet, fut arrêté en Angleterre en octobre 1998 en vertu d'un mandat espagnol demandant son extradition pour meurtre, la Chambre des lords d'abord, puis le ministre des Affaires étrangères Jack Straw conclurent à la légalité de l'arrestation et de la demande d'extradition ; ces actions ne furent toutefois pas dictées par une vendetta espagnole ou un respect irréductible des Britanniques envers la primauté du droit, mais bien par l'indignation mondiale. Même si la santé déficiente de Pinochet entraîna en définitive sa libération et son retour au Chili deux ans plus tard, les dictateurs « en retraite » ne se sentiront jamais plus à l'abri du pouvoir de l'opinion internationale[1].

1. L'ironie veut que cette réalité ait rendu quelque peu plus difficile d'amener les dictateurs à s'exiler (ainsi Saddam Hussein), car ils ne peuvent plus compter sur un accord entre gouvernements garantissant qu'ils ne seront pas poursuivis devant l'opinion mondiale. Même Henry Kissinger est menacé de procès, pour des chefs d'accusation découlant de ses activités présumées au Cambodge pendant la guerre du Viêt-nam, s'il se rend en France ou dans certains autres pays où il risque l'inculpation. Voir Christopher Hitchens, *The Trials of Henry Kissinger*, New York, Verso, 2001 ; en français : *Les Crimes de monsieur Kissinger*, trad. Jean-Marc Jacot avec la collaboration de Jean Bothorel, Saint-Simon, Paris, 2001 ; et le film éponyme d'Eugene Jarecki.

De même, quand une campagne internationale pour l'interdiction des mines antipersonnel (ICBL) se concrétisa en 1997 sous la forme d'un traité (la convention d'Ottawa) signé aujourd'hui par près de cent quarante pays (mais pas les États-Unis), le soutien ne lui vint pas des principaux gouvernements, mais d'une militante de la Nouvelle-Angleterre, Jody Williams, et de ses nombreux partenaires citoyens du monde entier (parmi lesquels des victimes des mines, la princesse Diana et plusieurs ONG militantes comme Human Rights Watch et Physicians for Human Rights). Jody Williams reçut le prix Nobel de la paix 1997 pour son travail remarquable, mais le véritable lauréat était, comme elle-même le souligna, la voix de l'opinion mondiale qui avait enfin les moyens de se faire entendre. « C'est seulement quand la voix de la société civile résonna avec une telle force que les gouvernements commencèrent à écouter, que le changement commença à faire bouger le monde, à une vitesse éclair et inattendue[1] », déclara Jody Williams aux délégués réunis au Canada pour signer le traité.

L'opinion publique mondiale est descendue dans la rue au cours des dernières années, faisant entendre sa voix et éprouver les effets de sa présence. Dans le mouvement d'antimondialisation, comme on l'appelle, mieux compris comme un mouvement de « mondialisation démocratique », des groupes internationaux tels qu'ATTAC* (fondé à l'origine par le tortionnaire de McDonald, José Bové) et une quantité d'ONG plus anciennes retinrent

---

1. Jody Williams, allocution à la Convention de signature du traité, Ottawa, Canada, 3 décembre 1997. Pour la mise à jour des travaux, voir les Landmine Monitor Reports publiés par Human Rights Watch.

* Association pour une taxation des transactions financières pour l'aide aux citoyens. *(NdT)*

l'attention d'abord des médias, puis d'institutions financières internationales telles que la Banque mondiale, le Fonds monétaire international et l'Organisation mondiale du commerce (les « IFI »). Leurs manifestations lors de conférences mondiales de haut niveau à Seattle, Prague, Washington, Rome et Davos ont obligé les gouvernements à examiner d'un regard plus critique l'impact des banques, des capitaux spéculatifs et des traités commerciaux internationaux sur des peuples marginalisés jusque-là muets dans les conseils des puissances mondiales. Ces mêmes militants ont également créé un « contre-Davos » annuel (pour faire pièce au Forum économique mondial de Davos) qui se tient à Porto Alegre, au Brésil, et qui a contribué à attirer l'attention des chercheurs, des intellectuels et de l'opinion publique sur les problèmes du développement économique mondial. Les grandes entreprises réunies à Davos ont ainsi été obligées de prendre en compte les intérêts de la société civile et les ONG au lieu de se préoccuper exclusivement des intérêts du capital mondial.

Des mouvements de contestation spontanés guidés par Internet et par de nombreuses ONG ayant d'autres vocations par ailleurs ont également influé sur le débat qu'a suscité la décision américaine d'envahir l'Irak sans l'approbation des Nations unies, non pas en empêchant la guerre mais en exposant au grand jour l'opposition généralisée de la scène internationale à l'unilatéralisme américain, à son recours à des solutions purement militaires et à la guerre préventive. Sous la coordination d'un groupe, MoveOn, d'autres (dont True Majority et Win Without War) se sont ainsi coalisés. Grâce à leur action, des centaines de milliers d'Américains qui ne se reconnaissaient pas dans les tièdes débats au Congrès avant le début de la guerre ni dans les mises en garde pusillanimes des membres politiques de l'« opposition » ont pu manifester avant et pendant le conflit[1]. Leur mouvement, Democracy in Action, a continué d'incarner la vitalité et la présence active de l'opinion publique mondiale tout au long de la guerre et pendant la période d'anarchie dite de « reconstruction ».

Les représentants de la culture populaire à Nashville et à Hollywood ont joué un rôle plus contestable dans la mobilisation de l'opinion. Les musiciens et les acteurs peuvent prendre des positions aussi mal informées et démagogiques que les détestables animateurs de talk-shows à la radio, mais certains artistes chez qui se conjuguent la réflexion, l'engagement et l'action ont réveillé les gouvernements et l'opinion. Adam Yauch et Adam Horowitz, des Beastie Boys, ont fait campagne avec discipline et sans démagogie pour un Tibet libre. Le chanteur pop Bono a transformé ce qui était un engagement personnel à faire connaître les ravages du sida en Afrique en programme officiel du gouvernement américain, persuadant le secrétaire au Trésor de l'époque, Paul O'Neill, de l'accompagner en 2002 dans un safari pour le sida en Afrique qui entraîna des changements réels dans la politique de l'administration Bush à l'égard de la pandémie (dont une augmentation significative des financements). Des groupes de chanteurs comme les Dixie Chicks et d'autres, trop étroitement liés à la contestation libérale permanente, se sont vus pourchassés par la droite traditionnelle et interdits de

1. On relève quelques exceptions, parmi lesquelles le sénateur de la Virginie-Occidentale, Robert C. Byrd, qui exprima avec véhémence son opposition à la guerre, mais la plupart des Américains désireux d'entendre un débat vigoureux et suivi eurent l'impression de ne pas avoir eu voix au chapitre.

radio par des stations qui agissaient en collusion ou non avec des idéologues du parti. Dans l'ensemble, cependant, l'engagement d'artistes connus du grand public dans la contestation civique a aidé à s'exprimer beaucoup de gens qui n'auraient pas eu voix sinon aux débats sur la guerre et la paix[1].

La démocratie préventive commence avec les citoyens et la formulation d'opinions critiques, mais elle a étendu son champ à des activités qui ne se contentent plus de contester (ou de soutenir) les orientations officielles des gouvernements. MoveOn a proposé une Déclaration des citoyens qui dit simplement ceci : « Alors qu'une invasion de l'Irak conduite par les États-Unis commence, nous soussignés, citoyens de nombreux pays, réaffirmons notre engagement à traiter les conflits internationaux en recourant à la primauté du droit et aux Nations unies[2]. » On peut citer d'autres exemples, ainsi une prise de position qui reconnaît la réalité de l'inter-

1. Malgré quelques célébrités de gauche montrées du doigt pour leur réserve, comme le note Warren St. John, « tandis que des stars connues pour leur engagement politique provoquent depuis longtemps de fortes réactions chez leurs adversaires – qu'on pense à Jane Fonda, Edward Asner et Charlton Heston –, l'opposition aux activités de célébrités n'a jamais été plus bruyante ni mieux organisée. Des sites Internet comme boycott-hollywood.net, famousidiot.com et celiberal.com forment le fer de lance de campagnes par e-mail et téléphone contre les vedettes et, dans le cas d'animateurs de télévision, contre les sociétés qui font de la publicité dans leurs émissions » (« The backlash grows against celebrity activists », *New York Times*, 23 mars 2003, sect. 9, p. 1). Paul Krugman s'est interrogé sur le rôle de poids lourds de la radio, comme Clear Channel, qui entretiennent « des liens étroits avec l'administration Bush ». Voir « Channels of influence », *New York Times*, 25 mars 2003, p. A17.

2. Voir le site Internet de MoveOn : www.moveon.org.

dépendance et prend la forme d'une Déclaration d'interdépendance. Ce manifeste de CivWorld et d'autres professions de foi de même nature entendent présider aux temps nouveaux comme la Déclaration d'indépendance américaine présida à l'ère fondatrice de l'Amérique. La Déclaration de Jefferson formula les principes de Hobbes et de Locke à l'échelon d'une nation, d'un peuple uni et se soumettant au droit parce qu'il avait compris que la liberté était plus sûre sous l'autorité du droit que sous la loi des puissants, que la sécurité ne pouvait être garantie par l'anarchie dans l'état de nature. Mais, en créant un monde de peuples souverains indépendants, la logique des États-nations instaura une nouvelle anarchie, un redoutable état de nature hobbesien entre les nations. La nouvelle Déclaration d'interdépendance donne à la logique du pacte une dimension mondiale. Elle s'énonce ainsi :

DÉCLARATION D'INTERDÉPENDANCE

Nous, le peuple du monde, déclarons ici notre interdépendance à la fois comme individus et personnes juridiques et comme peuples – membres de communautés et de nations distinctes. Nous nous engageons en qualité de citoyens d'un seul CivWorld, civique, civil et civilisé. Sans préjudice des biens et intérêts de nos identités nationales et régionales, nous reconnaissons notre responsabilité envers les biens et libertés communs du genre humain tout entier.

Nous nous engageons donc à travailler, directement mais aussi par l'entremise des nations et des communautés dont nous sommes également citoyens, à :

• garantir la justice et l'égalité pour tous en établissant sur une base solide les droits humains de toutes les personnes sur la planète, en veillant à ce que le moindre d'entre nous jouisse des mêmes libertés que les grands et les puissants ;

• instaurer un environnement mondial sûr et durable pour tous – qui est la condition de la survie humaine –, dont le prix à payer par les peuples sera proportionnel à leur part actuelle des richesses du monde ;

• offrir aux enfants, notre futur humain commun, une attention et une protection spéciales en répartissant nos biens communs, en particulier ceux dont dépendent la santé et l'éducation ;

• établir des formes démocratiques de gouvernement civil et légal mondial qui garantiront nos droits communs et réaliseront nos buts communs ;

• développer des espaces de liberté dans lesquels nos identités religieuses, ethniques et culturelles distinctes pourront s'épanouir et nos vies d'égale importance pourront être vécues dans la dignité, à l'abri de toute hégémonie politique, économique et culturelle.

Cette déclaration – on peut en imaginer beaucoup d'autres – a l'avantage d'exister dans le contexte d'une campagne citoyenne concrète qui propose un programme de société civile mondiale et de démocratie[1]. Il existe de nombreuses autres organisations et associations dans et entre les nations, des organisations

1. La CivWorld Global Citizens Campaign, dont les activités comprennent : une campagne de signatures pour la Déclaration d'interdépendance, un « Interdependance Day » annuel qui sera célébré pour la première fois à Philadelphie et dans plusieurs capitales du monde, ainsi que sur les campus universitaires, le 12 septembre 2003, un programme d'éducation à la citoyenneté mondiale pour les adultes et les écoles, un passeport de citoyen mondial, ainsi que des activités artistiques et musicales reconnaissant les arts comme un territoire commun de l'esprit humain. Voir le site Internet : www.civworld.org.

non gouvernementales et des institutions de la société civile qui partagent le même objectif d'une planète sur laquelle la paix et la liberté sont le fruit non pas de la guerre et de l'unilatéralisme, mais du droit et de la coopération. Il s'agira de groupes de protection des droits comme Human Rights Watch, ou de vigilance contre la corruption tels que Transparency International ; ou de mouvements comme celui qui offre un microcrédit aux femmes pauvres lancé par la Grameen Bank du Bangladesh et étendu par le Bangladesh Rural Advancement Committee (BRAC – Comité pour le progrès rural au Bangladesh[1]), et d'organisations de boycott international comme Dolphin-Safe Tuna et Rugmark ; d'autres sont des groupes « parapluie » tels que Civicus, qui sert de centre névralgique à d'autres ONG ; d'autres encore, malgré des objectifs spécialisés, sont devenus des ONG « génériques », ainsi Médecins sans frontières, prix Nobel de la paix 1999, ou Amnesty International, et symbolisent des possibilités de collaboration qui ignorent les frontières.

Une liste n'est pas une société civile mondiale ; mais quand elle englobe non pas des dizaines ou des centaines, mais des milliers d'associations civiques transnationales, le mouvement est lancé. Conduites par des citoyens et non

1. Le Bangladesh constitue un laboratoire d'innovation civique, avec plus de 20 000 ONG enregistrées auprès du gouvernement. BRAC dirige des milliers de dispensaires et veille au bon fonctionnement de 34 000 écoles regroupant plus d'un million d'élèves, et, avec ses activités commerciales et ses opérations de microcrédit bancaire, qui le posent en concurrent de la Grameen Bank, représente peut-être « la plus grande organisation non gouvernementale nationale du monde ». Voir Amy Waldman, « Helping hand for Bangladesh's poor », *New York Times*, 25 mars 2003, p. A8.

des gouvernements, les organisations concentrent le pouvoir civique sur des problèmes politiques insolubles que les gouvernements se refusent à prendre à bras-le-corps. Elles ne sont pas démocratiquement constituées (ni transparentes ni redevables de leurs actes), mais dans leur pluralité et leur diversité elles expriment toute la richesse de la société civile. Cependant, dénuées de pouvoir officiel et n'ayant pas les moyens de faire appliquer leurs idées prudentes, elles n'ont pas détourné les marchés mondiaux de leurs pratiques prédatrices, ni empêché le déploiement de la stratégie de guerre préventive américaine définie par la peur, ni mis les enfants du monde à l'abri des ravages de la criminalité, des mines antipersonnel et du sida – et ne le feront vraisemblablement pas dans un proche avenir, sauf à unir leurs forces à celles de gouvernements constitués et d'institutions politiques transnationales.

Or, dans un monde où il y a des maladies mais aussi des médecins sans frontières, de la corruption et de la prostitution mais aussi des agents d'Interpol sans frontières, des terroristes et des guerres terroristes mais aussi des ONG pacificatrices sans frontières, les temps sont certainement mûrs pour des citoyens sans frontières. Sans eux, la *lex humana* restera un rêve et toutes les institutions officielles de gouvernance internationale qui pourront être créées manqueront de substance ou de poids. Sans eux, l'éducation mondiale, la coopération mondiale, le droit mondial et la démocratie mondiale resteront des mots vides de sens. Le paradoxe veut que des citoyens mondiaux ont toutes les chances d'être précisément le produit de cette éducation, de cette coopération, de ce droit et de cette démocratie qu'engendrent des citoyens mondiaux.

Pendant toute la période qui précéda l'invasion de l'Irak, le débat tourna autour d'une question : savoir qui, du président Bush ou de Saddam Hussein, détenait les clés de la guerre ou de la paix. Curieusement, l'homme qui déclara qu'il mettrait fin à la guerre commencée par d'autres à l'endroit et au moment de son choix affirma jusqu'au jour même où les forces américaines se déployèrent en Irak que le choix revenait à Saddam Hussein. Qu'il désarme, et il sauverait sa peau, son pays et la paix. En vérité, pour autant que la démocratie est en jeu, ce qui s'est passé hier en Irak et peut survenir demain en Corée du Nord, en Iran, en Syrie, au Yémen, en Indonésie, au Pakistan et aux Philippines ne dépend ni d'un commandant en chef américain présidant à la *pax americana*, ni des chefs d'un gouvernement adverse s'efforçant d'arrêter l'avance d'un empire américain mû par la peur.

Les issues démocratiques dépendent de la lutte démocratique et de la volonté des citoyens – ou de ceux qui le deviendront – de la conduire. Là réside le sens fondamental de la citoyenneté. Des dissidents bruyants comme Abou Jahjah en Belgique ou Michael Moore aux États-Unis (qui perturba la cérémonie de remise des Oscars de 2003 en agitant sa récompense et en discourant avec des manières d'histrion sur une « guerre imaginaire » et un « président fictif ») ne trahissent pas la démocratie : ils sont une solution de remplacement civique à la peur. Lorsqu'on leur impose le silence, la peur a le dessus, et la victoire de la peur marque le triomphe du terrorisme même si les cellules terroristes sont éclatées et les agents terroristes liquidés, même si les nations qui les accueillent et les soutiennent subissent la formidable puissance du colosse américain et s'effondrent. Lorsque les citoyens échouent, des chefs impérieux peuvent inspirer autant de peur que leur en inspirent leurs adversaires, et en un rien de temps il n'y a plus de citoyens : seulement des maîtres et leurs sujets. Au plus fort de la campagne américaine contre Bagdad, beaucoup crurent que la contestation civique en Amérique avait été mise en veille. Critiquer le président qui avait mis ses troupes en danger en usant de tromperies patentes et de mensonges flagrants fut plus ou moins assimilé à une trahison des soldats que le président avait mis en danger. La guerre préventive réussissait mieux à faire barrage à la démocratie qu'à contenir la terreur.

Combattre le terrorisme par la démocratie préventive est également guetté par la démesure de l'orgueil. Le dogme du caractère exceptionnel de l'Amérique s'est toujours réclamé de la démocratie et il est devenu aujourd'hui l'un des principaux arguments en faveur de la guerre préventive. Peut-être, concluront les sceptiques, la démocratie préventive n'est-elle que l'habit neuf de l'impérialisme. Peut-être, mais pas forcément. L'Amérique occupe aujourd'hui une place exceptionnelle parmi les nations non par sa différence, mais par son intense ressemblance avec le monde. Une nation multiculturelle dont la majorité comportera bientôt une multitude de minorités et dont la société ressemble de plus en plus au monde qu'elle refuse paradoxalement de rejoindre peut, si elle le veut, proposer sa diversité comme modèle aux autres ; une société de villes planétaires a les qualités requises pour assumer le leadership démocratique mondial ; la tolérance, l'humilité, l'inventivité et la foi dans l'autonomie nées de l'ingéniosité locale sont des valeurs que les autres pays peuvent imiter sans se sentir à la veille d'être colonisés. Jamais le président Bush ne s'exprima avec plus de sagesse que lorsqu'il dit aux Américains que les droits étaient donnés par Dieu à l'humanité et n'appartenaient à aucune nation ni à aucun gouvernement. Kofi Annan tenta de répondre aux Américains qui critiquaient les Nations unies en leur rappelant qu'elles n'étaient pas « une entité indépendante ou étrangère, désireuse d'imposer son ordre du jour aux autres. Les Nations unies, c'est nous : c'est vous et moi[1] ». En ce sens, les États-Unis *sont* les Nations unies : l'Amérique *est* le monde et n'a pas besoin de le conquérir pour se joindre à lui.

1. Kofi Annan, allocution au College of William and Mary, Williamsburg, Virginie, 8 février 2003 ; cité par Julia Preston, « Annan appeals to US for more talks before the war », *New York Times*, 9 février 2003, sect. 1, p. 15.

Conclusion

Avant d'établir sa domination sur le monde, l'empire colonise l'imagination. La guerre est un instrument nécessaire, mais peu fait pour combattre la terreur, même lorsqu'elle vise exclusivement ses véritables instigateurs. Elle inspire la peur à tous ceux qui s'y engagent. Mais les soldats ont pour eux d'être actifs : dans les guerres de la démocratie, ce sont des citoyens en armes qui peuvent apprivoiser leur propre peur du fait de leur engagement. L'action est le manteau dont s'enveloppe le courage. Les individus le moins terrifiés mais dont on exigea le plus dans les jours qui suivirent le matin funeste entre tous du 11 septembre 2001 furent ceux que leur devoir convoqua à Ground Zero, d'abord pour rechercher des survivants, puis pour extraire les restes humains de l'oubli et leur offrir un minimum de dignité, enfin pour déblayer les décombres tout en protégeant le site. Parce qu'ils agirent au lieu de rester cantonnés dans le rôle de spectateurs, parce que leurs actions leur permirent de combattre le terrorisme en traitant ses conséquences, ils furent immunisés dans une certaine mesure, au moins tant qu'ils travaillèrent, contre les peurs et les angoisses dont le reste de l'Amérique souffre aujourd'hui[1]. Pendant ces journées, être new-yorkais

1. Le Pentagone fut aussi visé, mais, là, les militaires et les civils rattachés au département effectuaient leur mission de soldats, et la dynamique s'en trouva légèrement modifiée (bien que ce ne fût pas le cas de la tragédie ni de l'impact des pertes).

signifia peut-être se sentir un peu plus actif, un peu plus engagé, un peu plus blessé, et donc un peu moins impuissant que les autres Américains – même si les New-Yorkais et les habitants des trois États de la région furent les « victimes » de l'attaque et seront probablement des cibles particulièrement visées en cas de nouvelle offensive. Lorsqu'ils se ruèrent dans la cabine de pilotage pour empêcher une catastrophe de plus, sachant pourtant qu'ils allaient mourir, les passagers du dernier vol terroriste à être détourné sur Washington se transformèrent de victimes en acteurs, de sujets en citoyens. Une meilleure façon de mourir et, à coup sûr, une meilleure façon de vivre.

L'empire de la peur est un royaume sans citoyens, un territoire de spectateurs, de sujets et de victimes dont la passivité traduit l'impuissance et dont l'impuissance énonce et aiguise la peur. La citoyenneté érige une muraille d'activité autour de la peur : cette défense n'empêche pas les agissements des terroristes, mais elle réduit le tribut psychique exigé par le terrorisme. George W. Bush a laissé passer une occasion exceptionnelle au lendemain du 11 Septembre, alors que la nation réclamait à grands cris de s'engager et d'agir, et que le président, désireux – et on peut le comprendre – de donner à une population en état de choc le sentiment d'un retour à la vie normale, la pressa de repartir dans les magasins[1]. Alors que les citoyens brûlaient de réagir, leur gouvernement leur demanda de consommer. Là où les spectateurs souhaitaient devenir des participants, leurs représentants leur affirmèrent que ce n'était pas nécessaire. Or c'était

1. Cette occasion manquée fut d'autant plus surprenante de la part d'un président qui, bien qu'épousant habituellement l'attitude ABC (*anything but Clinton* : tout sauf Clinton) en matière d'ordre du jour, s'était rallié aux programmes de service national de Clinton mis en œuvre au Corps du service national et américain.

nécessaire, et plus que jamais ! Pour se défaire de leur peur, les gens devaient sortir de leur paralysie. Le président les envoya faire un tour au centre commercial.

À l'approche de la guerre en Irak, la même erreur se répéta. Seuls les opposants au conflit eurent la possibilité d'exprimer activement leur désaccord. La majorité se cantonna dans un rôle de témoin et de spectateur, des hommes et des femmes doutant du bien-fondé de la cause mais désireux de s'engager – sans toutefois aucune scène sur laquelle exprimer leurs sentiments civiques autrement qu'en agitant des drapeaux et en guettant avec anxiété ce qui allait se passer. Ils espéraient assumer leur part des sacrifices de la guerre, mais on leur enjoignit de ne pas s'inquiéter. Peuple de leur pays, ils aspiraient à en partager les coûts et on leur offrit une baisse des impôts. Certains auraient souhaité être appelés à servir, mais l'armée américaine est désormais un cadre de techniciens professionnels formés à des armements de pointe qui rendent obsolète le citoyen-soldat. (Hormis le corps d'officiers, elle attire également des gens en mal d'emploi et n'est donc pas aussi « volontaire » qu'elle le revendique.) Le secrétaire à la Défense Donald Rumsfeld écarta avec mépris les conscrits de cette nouvelle *army of one* exclusivement composée de gens de métier. Or la participation citoyenne à la guerre se fonde dans la démocratie même et l'on ne peut en faire l'économie pour des considérations d'ordre technique. La guerre est toujours l'ultime recours de la démocratie, et c'est pour qu'elle le reste qu'on demande aux citoyens de faire en commun l'ultime sacrifice. Si elle n'avait pas eu une armée de conscription, l'Amérique serait peut-être encore au Viêtnam. Alors qu'un seul membre du Congrès a aujourd'hui un enfant dans l'armée, le soutien parlementaire à une guerre interminable était hélas devenu très peu hypothétique au début du conflit. Charles B. Rangel, représentant de l'État de New York, mit les pieds dans le plat en préconisant de réintroduire la conscription à l'automne 2002, mais sa proposition fut taxée de politique politicienne, de manœuvre pour éviter la guerre, et rejetée. Or, même s'ils peuvent se révéler une gêne à l'ère des armes intelligentes et des guerres professionnelles, les citoyens-soldats forment le noyau du projet démocratique et représentent un instrument déterminant pour unir une stratégie de guerre préventive contre-terroriste et une stratégie de démocratie préventive.

Les modernes englués dans les impératifs de l'interdépendance ne disposent que de deux options : triompher de l'interdépendance malveillante qu'est le terrorisme en imposant d'une manière ou d'une autre une *pax* fondée sur la force ; ou bien mettre en place une interdépendance bienveillante en démocratisant le monde. Les autres nations ne peuvent pas rechercher la démocratie préventive sans la participation de l'Amérique ou avec sa présence hostile. L'Amérique est-elle prête à relever le défi ? Difficile à dire.

Si les Américains ne parviennent pas à sortir de l'empire de la peur, ils sont perdus. Aucun allié européen ami ne les détournera de la guerre, aucun État voyou ennemi ne paraîtra assez chétif pour ne pas retenir l'attention. Puisque la peur est une affaire de perception et non de réalité, les terroristes peuvent gagner sans tirer un seul coup de fusil. Il leur suffit de nourrir l'imagination des dirigeants et des médias dont on sait qu'ils alimenteront l'imagination de l'opinion. Le 11 Septembre fut une horreur sans nom qui exigea un terrible tribut de tous les foyers américains, et (on nous le promet) il y en aura d'autres. Mais, en tant qu'agression contre le robuste organisme de l'Amérique, ces attentats ne sont que des piqûres de guêpe sur un grizzli, une douleur aiguë mais passagère, vite écartée d'un coup des pattes puissantes de l'Amérique. Celle-ci ne peut pas se montrer à la fois aussi puissante qu'elle le revendique et aussi vulnérable qu'elle le craint. Sa puissance dément sa peur – en tout cas, elle le devrait. Il ne s'agit pas de minimiser la tragédie personnelle des victimes de la terreur ou de prétendre qu'on ne doit pas faire la guerre au terrorisme. Mais seulement de remettre le terrorisme en perspective et de se rappeler qu'il émane de l'impuissance et ne blesse les puissants que dans la mesure où ils se laissent blesser. La démocratie met en déroute le terrorisme parce qu'elle transforme l'imagination en instrument d'empathie et d'action, la libérant des inquiétudes qui l'assaillent quand elle reste oisive ou qu'elle s'absorbe dans des « on joue à se faire peur » délétères.

Aujourd'hui, se réclamer des vertus de la démocratie passe souvent pour du romantisme, de l'idéalisme, voire de l'utopie. Peut-être. La civilisation même, comme l'écrivait Yeats, tient grâce à la trame des illusions, et la démocratie figure à n'en pas douter parmi les plus séduisantes de ces illusions. Toutefois, en cette ère nouvelle d'interdépendance où criminels et terroristes savent que le pouvoir ne réside pas à l'intérieur des nations souveraines mais dans les interstices qui les séparent, la démocratie se pose désormais en conseil des esprits réalistes. Le *Star Spangled Banner* écrit par Francis Scott Key tandis que les Anglais bombardaient Baltimore en 1814 resta longtemps l'hymne guerrier d'États-Unis souverains et indépendants. *America the Beautiful*, composé en 1893 par Katharine Lee Bates alors qu'elle contemplait les premières chaînes des montagnes Rocheuses qui se dressaient à l'infini, parle au cœur d'une Amérique tenue aujourd'hui d'englober le monde par nécessité. Katharine Bates, censeur exercé du premier âge de l'impérialisme américain à la fin du XIXe siècle, connaissait le secret de la liberté préservée :

America ! America !
God mend thine every flaw,
Confirm thy soul in self-control,
*Thy liberty in law**.

Dans le vocabulaire plus prosaïque des sciences sociales et de leur réalisme, « un ordre international fondé sur le droit, en particulier dans lequel les États-Unis usent de tout leur poids politique pour dériver des règles propres à les satisfaire, permettra de protéger plus pleinement les intérêts américains, de préserver leur pouvoir et d'étendre leur influence[1] ». Ces règles doivent s'appliquer à tous. Le président Dwight Eisenhower mit en garde les Américains : « Il n'existe pas de paix sans droit. Et il n'existe pas de droit si nous devons nous réclamer d'un code de conduite internationale pour ceux qui s'opposent à nous, et d'un autre pour nos amis[2]. »

Les idéalistes romantiques sont aujourd'hui les aigles, cramponnés à l'espoir que les antiques prérogatives et la souveraineté classique de l'Amérique incarnées dans le désir de guerre suffisent à triompher de l'interdépendance. Les réalistes – souvent des militaires comme Eisenhower – sont devenus des chouettes, cédant devant

---

* « Amérique ! Amérique ! / Que Dieu corrige tes imperfections, / Fortifie ton âme dans la volonté, / Ta liberté dans le droit » (notre traduction). *(NdT)*

1. Ikenberry, « America's imperial ambition », art. cité.

2. Le président Dwight Eisenhower, allocution présidentielle à la radio le 31 octobre 1956.

l'interdépendance et soucieux de mettre en place une démocratie préventive à la fois comme prophylaxie à court terme contre le terrorisme et comme stratégie à long terme visant à éduquer des citoyens et à les placer au centre de la vie nationale et mondiale. Pour la logique réaliste, la puissance et la peur sont des antonymes. La vraie puissance réside aujourd'hui dans le fait d'être capable de vouloir des lois planétaires communes, et non d'affirmer la souveraineté nationale individuelle. La logique de liberté et la logique de sécurité peuvent s'attirer : la démocratie les empêchera de se désunir. Sur la vraie démocratie, sur les hommes et les femmes dont la citoyenneté militante forme la vraie démocratie, l'empire de la peur n'a aucune prise.

Table des matières

Remerciements 11

Introduction 13

I. *Pax americana*, ou la guerre préventive

1. Aigles et chouettes 39
2. Le mythe de l'indépendance. 57
3. La guerre de tous contre tous 83
4. La « nouvelle » doctrine de guerre préventive.... 97
5. L'« ancienne » doctrine de dissuasion 129

II. *Lex humana*, ou la démocratie préventive

6. La démocratie préventive 181
7. On ne peut pas exporter McWorld et l'appeler démocratie. 195
8. On ne peut pas exporter l'Amérique et l'appeler liberté 213
9. CivWorld 255

Conclusion 275

DÉJÀ PARU AUX ÉDITIONS FAYARD

Maude Barlow, Tony Clarke
La Bataille de Seattle. Sociétés civiles contre mondialisation marchande, 2002.
L'Or bleu. L'eau, le grand enjeu du XXIe siècle, 2002.

Agnès Bertrand, Laurence Kalafatides
OMC, le pouvoir invisible, 2002.

Noam Chomsky
De la propagande. Entretiens avec David Barsamian, 2002.
Le Profit avant l'homme, 2003.
Pirates et Empereurs. Le terrorisme international dans le monde contemporain, 2003.

Yves Cochet, Agnès Sinaï
Sauver la Terre, 2003.

Guy Debord
Panégyrique, t. 2, 1997.
Correspondance, vol. 1 (juin 1957-août 1960), 1999.
Correspondance, vol. 2 (septembre 1960-décembre 1964), 2001.
Correspondance, vol. 3 (janvier 1965-décembre 1968), 2003.

Susan George
Le Rapport Lugano, 2000.

Edward Goldsmith, Jerry Mander (dir.)
Le Procès de la mondialisation, 2001.

Alain Gras
Fragilité de la puissance. Se libérer de l'emprise technologique, 2003.

Internationale situationniste
Internationale situationniste, 1997.
La Véritable Scission de l'Internationale situationniste, 1998.

Serge Latouche
Justice sans limites. Le défi de l'éthique dans une économie mondialisée, 2003.

Helena Norberg-Hodge
Quand le développement crée la pauvreté. L'exemple du Ladakh, 2002

René Passet
L'Illusion néo-libérale, 2000.
Éloge du mondialisme par un « anti » présumé, 2001.

Majid Rahnema
Quand la misère chasse la pauvreté, 2003
(en coédition avec Actes Sud).
Edward W. Said
Culture et impérialisme, 2001
(en coédition avec *Le Monde diplomatique*).
Vandana Shiva
Le Terrorisme alimentaire. Comment les multinationales affament le tiers-monde, 2001.
Joseph E. Stiglitz
La Grande Désillusion, 2002.
Quand le capitalisme perd la tête, 2003.
Aminata Traoré
Le Viol de l'imaginaire, 2002
(en coédition avec Actes Sud).

Achevé d'imprimer en octobre 2003
sur presse Cameron
dans les ateliers de
Bussière Camedan Imprimeries
à Saint-Amand-Montrond (Cher)
pour le compte de la librairie Arthème Fayard
75, rue des Saints-Pères - 75006 Paris

35-57-1867-7/01

ISBN 2-213-61667-1

Dépôt légal : octobre 2003.
N° d'édition : 35375. – N° d'impression : 034990/4.

Imprimé en France